眠れなくなるほど怖い世界史

堀江宏樹

三笠書房

はじめに……この「光と影」のギャップで歴史の舞台は回ってきた

人は、素晴らしい功績の裏側を支えた「涙の物語」が大好きです。

一方で、栄光の裏に隠されていた「黒い歴史」も大好物です。

栄光が輝かしいほど、剝《は》がされた仮面の下の真実を知ってしまった時の驚きと怒りが激しく燃え上がる心の反応は、昨日今日始まったことではありません。

世界の歴史は「表の顔」と「裏の顔」のせめぎ合いで作られてきました。

たとえば、「無敵の英雄」として今なお歴史に深くその名を刻んでいる**ナポレオン**。彼のロシア遠征が失敗に終わったのは、ロシアの厳しい気候のせいばかりでなく、ナポレオンの妄信的なまでの「思い込み」のせいだったことはあまり知られていません。

また、豪奢《ごうしゃ》なドレスに身を包み、その美しさでフランス革命勃発《ぼっぱつ》の一端ともなった

マリー・アントワネット。民衆の怒りを残酷な処刑劇にまで燃え上がらせた浪費の裏には、「もともとは垢抜《あかぬ》けない少女だった」彼女のコンプレックスがあるのです。

さらに、無頼《ぶらい》のイメージが強い作家、**ドストエフスキー**が、年の離れた若妻を少年のように恋い慕っていたこと、アメリカの初代大統領・**ワシントン**が、黒人奴隷から引き抜いた歯で自らの入れ歯を作らせていたことなど、今の世ならば考えられません。

こんな「裏の顔」を持っているのは人間ばかりとは限りません。

パリは「花の都」と呼ばれる美しい街ですが、その中心部にはかつて巨大な墓地があり、投げ込まれた死体が山積みになっていました。また、今日の私たちを支えている**医学**の長い歴史をひもとけば、**ぞっとするような恐ろしい当時の「最新治療法」**の数々が現われます。

本書では、そんな**「裏の顔」**に容赦《ようしゃ》なく迫っていきます。

光は強ければ強いほど、濃い影を生み出します。

登場する人物や出来事は、一見、歴史の輝かしい一ページに刻まれるにふさわしい栄光と名声に満ちているように見えるでしょう。しかし、その影には、**私たちにはうかがい知れないほど深い闇がぽっかりと口を開けている**のです。

本書を一読した後には、きっと知っているつもりになっていた歴史上の人物が、その「裏の顔」の恐ろしさと共に生々しく感じられるようになるはずです。

堀江宏樹

もくじ

1章　時代を動かしたカリスマの「真実の顔」

2章 愛に溺れた者たちを待つ「運命」

3章 「病と命」との終わることなき闘い

4章　誰もが「神秘の扉」を開こうとした

イラストレーション◎早川洋貴

写真提供◎29ページ：Album Art／PPS通信社、39ページ：フォトライブラリー、47ページ：Rue des Archives／PPS通信社、77ページ：Album／Oronoz／共同通信イメージズ、111ページ：Science Source／PPS通信社、121ページ：Steve Vidler／PPS通信社、161ページ〈右〉：Alamy／PPS通信社、161ページ〈左〉：World History Archive／ニューズコム／共同通信イメージズ、171ページ：TOP Photo／PPS通信社、179ページ：Heritage Image／PPS通信社、221ページ：SPL／PPS通信社

1章
時代を動かしたカリスマの「真実の顔」

暴君ネロの死を見届けた「最後の伴侶」の美少年

不品行《ふひんこう》が目立つローマ皇帝たちの中でも、第5代皇帝の**ネロ**は、とびきりの悪名の持ち主です。

初代ローマ皇帝となったアウグストゥス以来、**帝位は世襲ではなく、「皇帝となるにふさわしい人物」を養子にして、受け継がれてきました**。

しかし、ネロの養父、第4代皇帝クラウディウスからネロへの帝位継承の経緯は血生臭いものでした。ネロの母・アグリッピナが毒キノコを食べさせ、クラウディウスを死に追いやったのだというのがもっぱらの説です。

時にネロは16歳。まだ年若い息子を帝位につければ、その後は自分が権力を握れると踏んでいたアグリッピナでしたが、ネロには遅れた反抗期がやってきます。支配的な母親との間には、あつれきの数々が生まれるのでした。

恐怖の皇帝は「愛敬」にあふれた男だった？

暴君として知られるネロですが、彼が行なったのは悪政ばかりではありません。彼は即位すると、まず養父の葬式を手厚く執り行ない、権力志向の母親にも最高の権限を認めてやりました。

「アウグストゥス帝の遺訓を守って統治は行なう」と宣言、処刑執行書にサインすることを拒絶するなど、**「寛容と仁慈《じんじ》と、そして愛敬《あいきょう》すら発揮する機会を一つも見逃さなかった」**ネロの姿を、歴史家のスエトニウスは『ローマ皇帝伝』に記しています。身分に関係なく人々の顔と名前を即座に覚え、挨拶し、民衆の生活を守ろうと間接税の廃止や引き下げを行ない、給付金を配りました。

軍事訓練する自分の姿を公開し、公の場で演説を繰り返し、自作の詩の朗読も行ないました。後には歌手として歌声を披露したりもしています。あまり才能はなかったようですが……。

●母、師、そして妻を手にかけた

ここからもわかるように、**ネロは完全な悪人ではなかったのです。**

ただ、ネロが善人というわけでもなく、衝動を抑えられない部分が目立ち、**周囲と衝突すると、皇帝権力によって相手を自殺させたり、殺害したりを繰り返す**などの悪行があったことも事実です。母であるアグリッピナとの関係は次第に悪化し、後には暗殺させています。師だった哲学者のセネカにも自害するよう命令を出しています。

ただ、これらの悪行については、彼がもし皇帝になってさえいなければ、ここまでに発展することはなかったでしょう。愛想だけ良い、浪費家のお坊ちゃまとしてネロは長生きできたはずです。

ただ、妊娠中の妻のポッパエアを毒殺、もしくは蹴《け》って殺した事実については、申し開きはできません。ほかにも**少年スポルスを、女性に見立て、妻の一人として娶《めと》ったこと**も、読み方によっては暴挙だと思われます。

●最後に娶ったのは「去勢された少年」

前述の歴史家スエトニウスにいわせると、ネロは、当時10代だったと思われるスポルスの**「生殖腺を切りとり、さらに彼の性まで女に変えようと試み、嫁入り資金を与え花嫁のベールをかぶせ、結婚式をあげ」た**そうです。

しかし、ネロがスポルスの「性まで女に変えようと試み」たというのを「性転換のために手術させた」と解釈するのは行き過ぎだと思われます。おそらくは、女装させた程度ではないかと筆者は考えます。**抗生**

物質のない古代において、単なる去勢よりリスクの大きい性転換手術を成功させるのは不可能だと思われるからです。

低い身分に生まれ、親に売られたスポルスは、幼少時から美声の持ち主で、歌の資質にも恵まれていました。おそらくは、ボーイソプラノを保つべく、**ネロに見初められる前から去勢されていた**のでしょう。自分の意志以外で、去勢されてしまう哀《あわ》れな少年たちはローマにはたくさんいましたから……。

かくして仔細《しさい》は不明ですが、少年スポルスはネロの4番目の妻となりました。

しかし、この手のお遊びを好んだネロを、ローマの上流社会は許しませんでした。**ピタゴラス（おなじみの数学者〈146ページ参照〉とは別人）という奴隷の男の妻としてネロ自身が「嫁《とつ》いだ」過去**もあり、確かにローマでは同性愛が盛んではありました。

ですが、それはネロのように身分の高い男性が、公然と行なうようにふさわしい行為ではなかったのです。

●「死ぬのがそんなに怖いか」従者が吐いた暴言

ネロには熱烈なファンもいましたが、その治世は肝心のところで様々な部分が足りておらず、その人気は長期的に見て、落ちる一方でした。

そして即位から14年、**「世界はついに彼を見捨ててしまった」**とスエトニウスは書いています。

ガリア（現代のフランス地方）で蜂起が起こると、ネロの対処を待たずに他の地域でも次々と蜂起が連鎖し、事態はどんどん悪化します。

ネロが一緒に亡命してくれないかと頼むと、宮殿の警備兵の一人は**「死ぬのがそんなに怖いか」**と暴言を吐いたそうです。

そのうち、警備兵たちすら姿を消してしまう中、例のスポルスをはじめとする4人だけは最後までネロのそばを離れようとはしませんでした。しかし、その4人までもが、**生にしがみつくのはローマ人の男性としては何よりも恥ずかしいことだ、早く死ねとネロに口々に言う**のです。

ネロが自死を決意したのは、捕まった後の処刑方法のむごさを知ったからでした。彼は「この世からこんな素晴らしい芸術家が消えるのか」と自分の死を嘆き、**「誰か私より先に死んで手本を見せてほしい」**などと口走ったと言います。

一国の皇帝だった人物としては実に情けない姿ではありますが、自分の人生がこんな形で唐突に終わることを彼は単純に信じられなかったのではないか……と筆者には思われてなりません。

喉《のど》に自らの手で刃物を突き立て、気を失っていくネロのところに、彼を捕縛《ほばく》しようという兵士たちが駆け込んできた時、ネロは微《かす》かな意識の中で、兵士たちが自分を助けにきてくれたと錯覚し、「それが忠義か……」などと言いながら死んでしまいました。

目を見開いたまま死んだネロの顔に浮かぶ恨みの表情は凄《すさ》まじく、みなが震え上がるほどでした。

●嫌われ者たちから愛された少年の末路

ネロが亡くなると、世間は「大いにはしゃいだ」とスエトニウスが言う一方、ネロを慕《した》い、彼の墓に花を供える人々も絶えることはありませんでした。

贅沢《ぜいたく》な生活がたたったのか、30歳を超えたばかりなのに、ネロは腹部が張り出し、手足は細いままという惨《みじ》めな体つきでしたが、顔立ちだけは整っていたといわれます。

さて――ネロに先立たれたスポルスですが、ネロの死から約4年後、3カ月の間だけ皇帝になったオトという男の寵愛《ちょうあい》を受けることになりました。

ただ、このオトも自殺に追い込まれ、今度はスポルスまで処刑されることになりました。

ネロとオトという世間の鼻つまみ者2人から愛されてしまったスポルスは、公衆の面前で辱《はずかし》められてから処刑されることを拒《こば》み、粛々《しゅくしゅく》と自害したそうです。

無敵のナポレオンが敗れた「感染症」の恐怖

フランス皇帝**ナポレオン・ボナパルト**の没落を決定づけたのは、1812年のロシア戦役の大敗でした。

フランスだけでなく、オーストリア・ドイツなどから徴兵された多国籍の兵士総数は多く見積もって67万8080人（シャルディニィ説。ちなみに1812年6月1日時点）。少なくとも42万2000人（ティエール説）程度はいたといわれています。

数字に大差があるのは、なぜでしょう?

それは、**ロシア戦役での大失敗はナポレオンの名誉を汚すとされ、早くも敗走中に資料のすべてが焼き払われた**からです。多国籍軍の中で、フランス兵は3万人あまりしかいませんでした。ナポレオン時代は戦争の繰り返しで、フランスの青年たちが兵役につくことをイヤがり、頭数を集められなかったからです。

戦果も最悪でした。**ロシアから帰国できたのは当初はわずか数千人。**帰還できた脱走兵を入れても4万人には満たないといわれます。19世紀当時の戦争では3分の1程度の兵しか生きて戻れないのが普通でしたが、それをはるかに下回る最悪の数字です。

●「戦争の天才」を苦しめた疫病

「戦争の天才」と呼ばれたナポレオンが、なぜこれほど惨めな失敗を犯してしまったのでしょうか。

ナポレオンの目論見《もくろみ》ではポーランドあたりの戦場で、ロシア軍とナポレオンの多国籍軍による総力戦が開始され、お得意の電撃作戦で一気に勝利を収めるつもりでした。しかしロシア軍は総撤退を始め、それを追いかけて**ナポレオンの多国籍軍もロシアの奥地へと誘い込まれていった**のです。

この時期のロシア戦役は、フランスにとって必然ではありませんでした。ナポレオンが対ロシア戦を開始した確たる理由も実は、よくわかりません。最盛期のローマ皇帝でもなしえなかった、**ヨーロッパとロシア両方の支配者となる野望を叶えようとしたの**でしょうか。

ナポレオンの多国籍軍がネマン河を渡って、ロシア領内に侵入したのが1812年6月24日のこと。この年のロシアの夏は記録的な暑さでした。それなのに1日60キロの速度で逃げていくロシア軍を、30キロのリュックを背負った兵士たちは追いかけねばなりません。行軍開始二日目には5万人の兵士が早くも落伍《らくご》、もしくは逃走して消えました。

6月28日、一行は最初の目的地であるヴィルナ（現在のリトアニア首都のヴィルニユス）の街に到着しました。ロシア軍の退却作戦によって、**美しい街はもぬけの殻**です。

2001年、ヴィルナでナポレオン時代の制服姿の遺骨が大量に発見されました。調査の結果、**彼らの死因はチフスや赤痢をはじめとする伝染病だった**ことがわかりました。病を媒介《ばいかい》した、大量のシラミの死骸《しがい》も共に発見されました。

ネマン河からヴィルナまでの約100キロの行軍で、ナポレオン軍の一部の兵士たちは、食糧不足にいらだち、ロシアの農奴の村をこっそり襲っていました。

農村で略奪を行なった結果、そこでもらったシラミと伝染病が全軍に撒《ま》き散らされ、兵士たちがバタバタと死んでいったのでしょう。**戦争とは見知らぬ病原体との遭遇の連続**であり、それはパンデミックの危険性を意味していました。いつの世でも、**戦争における大量死の大半は戦死ではなく、病死**なのです。

「風呂の中で考えてくる！」

7月28日、ベラルーシのビテプスクという街にナポレオン軍が到着する頃には、本格的な戦闘一つないのに兵士は行軍開始時の半分にまで減っていました。30パーセントの兵を失えば、その軍隊は通常、壊滅状態だといわれます。

やはりもぬけの殻のビテプスクで、ナポレオンは側近のダリュー伯爵《はくしゃく》から**「これ以上の行軍は無意味」**と指摘されます。しかし、それは大きな犠牲を出した上、何の戦果もないままの惨めな敗北を意味します。ナポレオンはおそらくは苦し紛《まぎ》れに「モスクワを占領すれば、ロシア皇帝が和平を提案してくるだろうから、そこまでは絶対に行く」などと言い出しました。

モスクワは、サンクトペテルブルクと並ぶロシア帝国の大都市で、一大軍事拠点でもありました。しかし、モスクワ近辺に到着した9月初旬には、ナポレオン軍の兵士の数は、出発時の4分の1にまで減っていました。**主たる死因はチフス**です。

今や即時撤退論は、軍中枢部でも主流となり、諸将から口々に撤退の進言を受けたナポレオンはさすがに悩んだのか、**「風呂の中で考える」**といって姿を消しました。しかし風呂で血行がよくなったナポレオンは気が大きくなり、致命的な判断ミスをしてしまいます。

「諸君、われわれはモスクワに突撃する!」

風呂上がりの一糸まとわぬ姿でナポレオンはそう宣言しました。

モスクワの当時の人口は27万人あまり。さすがにこの大都市を兵で取り囲めば、中から和平の使者が出てくるだろうと思っていたナポレオンですが、なんとモスクワさえも誰もいない、戦闘はおろか和平交渉の相手すらいない、がらんどうの街だと知ると愕然とします。

ロシア帝国が「勝利」の代償に失ったもの

彼がクレムリン宮殿に入った9月14日当日から、**モスクワ中で火の手が上がり始めました**。クレムリン宮殿の北西にある大市場が燃え上がっているとの情報が入り、ナポレオンが調べさせると市内の18カ所がすでに火に包まれているというではありませんか。炎は結果的にモスクワ市内の7割を焼き尽くしました。

燃え上がるモスクワ全市を前に、これまで不平不満だらけだった**ナポレオン軍兵士たちの理性は吹き飛んでしまい、大略奪《りゃくだつ》が開始されました**。

ナポレオンの略奪禁止の命令も彼らには届かず、ついには名誉を重んじる近衛《このえ》軍の士官までもが公然と略奪に参加し始めます。**この時点において、ナポレオン以下、末端の兵士たちにまで貫かれているべき指揮系統は壊滅**したのです。

逆に言えば、戦闘以外の手段で、ロシア帝国はナポレオン軍の駆逐に成功したのでした。モスクワという歴史ある大都市を焼き捨てた犠牲は甚大《じんだい》すぎましたが……。

直接の放火犯は400人ものロシア人の脱獄囚でしたが、裏で指揮したのは当時のモスクワ総督フョードル・ロストプチンだったとされています。ですが、ロシア帝国の上層部にこそ、モスクワ大火作戦の立案者がいたのでしょう。

その人物にわれわれがたどり着ける資料は残されていません。ただし、モスクワ大火の作戦決行を許可した人物が誰かは推測がつきます。**これほどの大事を決断できるのは、ロシア皇帝アレクサンドル1世、ただ1人**でしょうから。

●とうとう「死んだ戦友」の血肉も貪り……

ナポレオンはその後、5週間あまりも、モスクワにとどまりました。もはや一刻の猶予《ゆうよ》もない、10月にはロシアの冬が始まるという側近たちの言葉を、たまたま温暖だった1812年の異常気象ゆえに、「まだ大丈夫だろう」と無視し続けてのことでした。しかし、**異常な寒波が10月のロシアを襲うと状況は一変**しました。

ナポレオンは焦《あせ》り、すぐさま撤退を命じます。コサック（ロシアの義勇兵）に追いかけられ、さらなる死者を出しつつナポレオン軍のロシア撤退が始まりました。

大寒波の中、ナポレオンの兵たちは……

食料は底を尽き、馬の死体しか食べるものがありませんでした。**死んだ戦友の血肉を貪《むさぼ》る兵士たちの姿さえ見られるようになりました**。

フランス軍に埋葬を行なう余力などはなく、散乱する人や馬の死体を、ロシアの人々が埋めたという記録もあります。

逃走中のナポレオン軍は、完全に理性を失っており、味方の街でさえ略奪行為を繰り返し、経路の街々にチフスをはじめとする伝染病をばらまき続けて進んでいくのでした。まさに**死の行軍**です。

しかも、恐ろしいことにこれほどの戦略ミス、人命軽視の大罪を犯しながらも、ナポレオンはこの時、失脚していません。

●「大敗」を「栄光」にすり替えた英雄の狂気

ほうほうの体《てい》で帰国した後もナポレオンは責任をまったく感じておらず、**「余はロシアで失敗したが、それはロシア人の力に負けたからではない。まったくの偶然ないし本当の宿命によるものだった」**（ラス・カーズ男爵《だんしゃく》の証言）と言ってのけ、側近たちをも唖然《あぜん》とさせる自己肯定ぶりを見せました。

晩年のナポレオンの中で、ロシア戦役とモスクワ入城は栄光の記憶にすり替わっていたようです。ロシア戦役後も戦争で負け続けて完全に没落し、セントヘレナ島に流《る》刑《けい》となった時のナポレオンが**「余はクレムリンにいる時に死んでいれば良かった」「あれが余の栄光と名声の極みだった」**などと、側近相手に語った記録があります。

大失敗した現実を、そうあるべきだった理想にすり替えてしまうナポレオンには恐怖を覚えるほどです。それがかつて「戦争の天才」と呼ばれ、最後はただの誇大妄想狂に落ちた男の末路でした。

フランス史上一の「良王」アンリ4世の〝首なし遺体〟

「良王アンリ」の名で呼ばれ、現代でもなお、フランス国民から深い敬愛を集めているアンリ4世（1553‐1610）。

しかしおそらくは愛されすぎてしまったがゆえに、**彼の首はある時からこつぜんと姿を消しました**。

アンリ4世は「神がそれだけの命を与えてくださるのであれば、**私の王国からは日曜日ごとに鶏を一羽も買えない労働者はなくしてみせる**」と言い、貧しい者の味方として高い人気がありました。

実際に農民の税支払いにおける延滞金を免除したり、延滞金がある農民から、農具や家畜をペナルティとして取り上げる慣習を廃止させています。

その一方で、都市や地方の様々な特権は廃止、その内政にも国王として積極的に干渉したり、生涯で何度もプロテスタントとカトリックに改宗してまわったり、あまりよろしくないことも平気でしています。本当の名君と言うよりは、愛されることに長《た》けていたというほうが実像には近いでしょうね。

自らの死の「予感」に襲われて……

そんなアンリ4世ですが、彼を憎む人も少なくはなく、その生涯で**約20回も暗殺未遂に遭遇**しています。多くの難を乗り切ったのは、ひとえにその強運のおかげでしょう。ところが、二十何回目かの暗殺事件が、とうとう彼を死に導きます。

事件の少し前から、彼は不吉な予感に襲われていました。当時のアンリは、ハプスブルク家との全面戦争の開始直前でしたが、**「私はドイツに行くことはできない気がする」**とか**「馬車の中で死ぬと予言された」**と弱気なことを言うのでした。

馬車で移動中だったアンリは、群衆の中からフランソワ・ラヴィニャックという男がナイフ片手に詰め寄ってきたのをかわせず、心臓と肺を刺された時の傷がもとで亡くなりました。周囲を安心させようと「なんでもない」と言いながらの死でした。

国王殺しは天下の大罪です。フランソワ・ラヴィニャックは幽閉されていたコンシュエルジュリー牢獄から、処刑場のグレーヴ広場に民衆の罵声《ばせい》を浴びながら連れていかれました。処刑人の手で、体中の肉を「灼熱《しゃくねつ》のヤットコ」で引きちぎられることに始まり、**全身を痛めつけられたあげく彼は絶命し、遺体は灰になるまで焼かれました。**民衆はそのグロテスクな様子に熱狂したそうです。

●遺体が「ばらばら」にされた理由

一方、アンリ4世の遺体には〝防腐処置〟が施《ほどこ》され、フランスの歴代国王と王妃たちが眠るサン・ドニ大聖堂に埋葬されました。

サン・ドニ大聖堂において王族は、**遺体、心臓、その他の内臓が三分割され、それぞれが棺《ひつぎ》か専用の容器に入れられて埋葬される**のが通例です。日本人には驚きの慣習かもしれませんが、これはヨーロッパ全土で行なわれていたもので、中世ヨーロッパの王族・貴族たちが十字軍の時代、戦友の遺体すべてを母国に連れて帰れなくても、魂が宿る場所と考えられた心臓だけは持ち帰ったことがきっかけともいわれています。すでに12世紀頃には、遠国で亡くなったケース以外でも防腐処置として遺体、心臓、その他の内臓の三分割埋葬がヨーロッパ中の王族・貴族に行なわれていました。

●公然と行なわれた墓暴き「サン・ドニの略奪」

アンリ4世が埋葬されてから約180年ほど経ったフランスで、革命が起きました。

アンリ4世の子孫にあたるルイ16世の時代で、古代から続いたフランスの王政の伝統は、停止されてしまいました。**大罪だったはずの王殺しが粛々と執行され、ルイ16世は1793年1月21日にギロチンで処刑されます。**

10月16日に予定されていたマリー・アントワネットの処刑を目前に控え、革命政府は「過去の暴君たちの記憶を浄化する」といって、**歴代の王家の人々が眠るサン・ドニ大聖堂の霊廟《れいびょう》を暴く**ことにしました。

マリー・アントワネットを処刑することで、彼女の実家であるハプスブルク家や、その親戚を国王に掲げる国々がフランスへ攻め込んでくることを恐れ、霊廟や棺に使

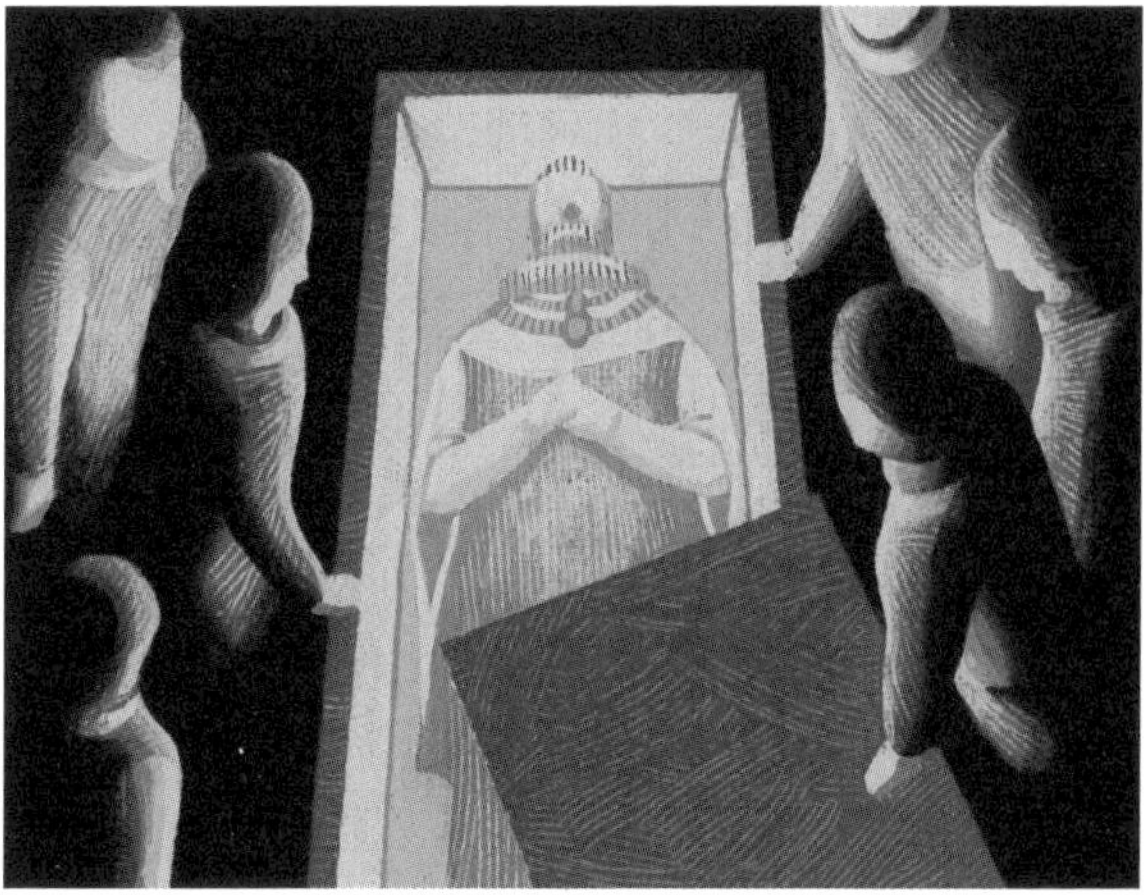

われた貴重な金属で武器や弾薬を作ってやろうという魂胆があったのです。

こうして悪名高い**「サン・ドニの略奪」**が始まります。

古代からブルボン家に至るまで、歴代王朝の王たちの棺が次々と暴かれていきました。古い時代の王たちは、棺の中で粉になっていたそうですが、中世くらいから保存状態が良いものと、そうではないものの差がハッキリし始めます。

ブルボン家の歴代国王たちの遺体の保存状況は最悪でした。**中には腐敗しきって有毒ガスを発し、そこにいた兵士を病気にした遺体もありました**（おそらく天然痘で亡くなったルイ15世ではないかと思いますが）。

●眠るように横たわっていた「良王」

やはりブルボン王朝は腐敗していたのだ……などと暴徒たちが感じ入っていたところ、数少ない例外が発見されました。「良王」アンリ4世の遺体です。

厳重に閉じられていた棺の蓋《ふた》をこじあけられ、不躾《ぶしつけ》な民衆の視線がアンリ4世の遺体に注がれると、人々はただ感嘆するしかありませんでした。

アンリ4世の遺体はまるで損壊しておらず、まるで亡くなった直後のまま、眠っているかのように保たれていたのです。

あまりの荘厳《そうごん》さに、暴徒である革命軍の兵士たちがアンリ4世に抱きつき、その柔《やわ》らかいままの赤茶色のヒゲを記念に拝借する者も現われました。アンリ4世のデスマスクも暴徒たちの手で取られました。

ただ、アンリ4世への畏怖《いふ》は例外に過ぎず、他の国王たちの遺体に対して、暴徒たちはシビアでした。

一人の女性が憤然と詰め寄り、「この王族ども！」と呪いの言葉とともに遺体を床に投げすてたことに始まり、かなりの陵辱《りょうじょく》が加えられました。遺体とは別に保管されていた内臓や心臓も盗まれました。**アンリ4世の遺体もやがては他の王家の人々と混じって、塹壕《ざんごう》に放り込まれてしまった**そうです。

アンリ4世の首はどこに？

「サン・ドニの略奪」から約20年後、ブルボン家はフランス王位を一時的に回復、サン・ドニ大聖堂の王家霊廟の復興が図られました。

しかし、その時になって、例の塹壕の中から、アンリ4世の遺体（と思《おぼ》しき遺骨）の首から上が消えていることがわかったのでした。略奪された時、**暴徒の誰かがアンリ4世の首を、おそらくは個人的な記念品として持っていってしまった**と考えられています。

そして、それから約２００年たった今日でも、アンリ4世の首と称されるミイラ化した人体の一部が世に出回っては消えることが繰り返されているのです。

アンリ4世の胴体が、自分の首に再会できる日は来るのでしょうか。

ワシントンの口には黒人奴隷から引き抜いた歯が……

アメリカ合衆国の初代大統領としてその名を歴史に留める**ジョージ・ワシントン**。彼の肖像画は、どれも唇が真一文字に閉じられ、快活な印象は微塵《みじん》もありません。その理由として、**若い頃から虫歯に苦しめられていた**ことが挙げられるでしょう。ワシントンの歯が抜け始めたのは、なんとまだ22歳の時でした。

「お父さんの桜の木を誤って伐《き》り倒したのを正直に告白した」という少年時代の逸話は実は作り話ですが、生真面目な性格だったのは本当で、ワシントンの残した詳細な家計簿には歯に関する出費が大量に記録されています。

ダース単位で「海綿歯ブラシ」を購入した記録もあります。ワシントンがケアを怠《おこた》ったというより、当時の歯科技術では歯周病の進行をまったく止められなかったようですね。40代から部分入れ歯生活が始まり、１７７５年のアメリカ独立戦争も歯の痛

ワシントンのかたく結ばれた唇の裏には……

みと共に戦い抜きました。

1789年、独立戦争の英雄であるワシントンは、選挙によって大統領の座を勝ち取るのですが、**この時の彼に、自分の歯は1本しか残されていませんでした。**

この時、ワシントンは57歳。22歳で最初の永久歯を失った後、35年の間に27本もの歯を次々と失い続けていたことになります。

● それは「奴隷たちの犠牲」のもとに作られた

当時の入れ歯の品質は想像できないほど悪いものでした。上あごの入れ歯を固定する技術はなく、**歯茎《はぐき》に穴を開け、そこに入**

れ歯をぶらさげることもありました。

18世紀初頭には、下と上の入れ歯の間に金属バネが付けられているタイプが作られましたが、扱いがなかなか難しかったようです。

ワシントンは入れ歯を何組も持っていました。それらは鉛でできた〝床〟に象牙《ぞうげ》やカバ、セイウチ、それからヘラジカなどのキバから作られた人工歯……時には本物の人間の歯がねじこまれている代物《しろもの》でした。

ナポレオン戦争の後には、**各地で行き倒れた大量の若い兵士たちの遺体から歯を引き抜き、それを入れ歯に加工**した「ウォータールー（戦場）の歯」が流通していました。実際は、出所不明の歯が「ウォータールーの歯」と称して使われることが常だったようですが。

しかし、ワシントンはそれ以前の時代の人ですから、**彼が人間の歯を入手する時に犠牲になったのは**、**黒人奴隷**です。ワシントンは大農園主で、400人にもおよぶ奴隷を所持し、彼らから健康な歯を引き抜いては自分の入れ歯に使っていました。

そこまでやったにもかかわらず、ワシントンは離乳食のようなすりつぶした食事しか摂《と》ることができず、口を開けて笑うことも避けねばならない状態でした。歯茎は腫《は》れて痛み、想像を絶するストレスに苛《さいな》まれていました。

ワシントンは相当な癇癪《かんしゃく》持ちで知られていましたが、それも歯の状態を思えば仕方のないことかもしれません。

●「死より過酷な苦しみ」に耐えた2日間

1797年、2期(8年)務めた大統領職を辞したワシントンは、マウントバーノンという田舎町にある自分の農場に戻ります。65歳で、のんきな老後の始まりでした。ところがリタイアから2年後、67歳になっていたワシントンを突然の高熱が襲います。口の中のトラブルに悩まされ続けたワシントンらしく、死因は喉頭蓋炎《こうとうがいえん》で、現在であれば抗生物質を飲むだけで治ったであろうと考えられています。

しかし、当時の医者の手持ちにそんな薬はなく、ワシントンには強烈な嘔吐《おうと》剤《ざい》と下剤が処方されただけでした。初代大統領の危機に複数の医者たちが集められましたが、彼らの全員が現代医学の水準からは、落第生としかいえない知識の持ち主でした。ワ

シントンの首には毒虫ツチハンミョウを主原料とする粉が塗りたくられ、水ぶくれを起こした皮膚《ひふ》から血があふれました。

瀉血《しゃけつ》（123ページ以降を参照）も繰り返され、成人男性の全血液量の約半分くらい、合計2・5リットル近い血が彼の身体から抜かれてしまいました。

恐ろしい苦痛の中、最後の力を振り絞ったワシントンは**「もう構わないでくれ。静かに死なせてほしい。もうすぐ私は死ぬから」**とつぶやいたそうですが、合わない入れ歯のせいで発音不明瞭で聞こえなかったのか、医者たちは諦《あきら》めてくれません。

猛烈にむくみ始めた足にもツチハンミョウの粉が医師たちによって塗りたくられ、彼らがさらなる水分をワシントンの体内から抜こうと試みている中、生きながらミイラのようになった彼はようやく事切れました。抵抗するすべもないワシントンの苦しみは2日間にもわたって続いたのでした。

実にひどい最期ですが、かつてのワシントンが「北西インディアン戦争」において惨殺《ざんさつ》させ、その尻の皮でブーツやレギンスを作らせたインディアン・イロコイ族や、あるいは麻酔なしで健康な歯を引き抜かれた黒人奴隷に与えた**苦痛の〝報い〟**といえば、まだ足りなかったかもしれませんね。

ヒトラーの幻の夢を乗せて走った豪華列車「アメリカ号」

アドルフ・ヒトラーにとって、アメリカ合衆国は理想の国でした。

アメリカは、白人たちが、インディアンと呼ばれた先住民族から奪った土地に作られた国家です。１９３０年代のアメリカには主に移民関係について人種差別的な思想を色濃く反映させた法律があり、その内容は、**ヒトラーやナチスの幹部の目から見ても「あまりに差別的すぎるから、民衆の理解を得られない」**と躊躇《ちゅうちょ》するほどでした（ウィットマン『ヒトラーのモデルはアメリカだった』）。

ヒトラーがアメリカにどれほど心酔していたかは、**彼の専用列車の名前が「アメリカ号」だった**ことからもわかります。ヨーロッパ中をアメリカ号で駆け抜け、ナチスの白人至上主義を広めたいと考えていたのでしょう。

●ドイツを駆け巡った「走る官邸」

1930年代のヒトラーは蒸気機関車に乗ってドイツ中を飛び回り、民衆たちと積極的に触れ合っていました。

そこで、1937年から2年をかけ、ドイツ国鉄が最先端の技術を結集して作ったのが**ヒトラー専用列車のアメリカ号**です。

アメリカ号は2両の機関車に牽引《けんいん》されていました。どちらか片方を故障、もしくは破壊されても逃げることができるからです。

一部車両の屋根には、数キロ以上先の目標に向かって、毎分800発も打てる対空砲が備え付けられていましたし、停車時は電話、走行中は各種無線を使って、世界中に連絡することが可能でした。暗号解読室、資料室などもありました。

アメリカ号は、走る官邸といえました。

賓客《ひんきゃく》専門の車両もありましたし、すべての車両が当時珍しかった冷暖房完備です。嫌煙家《けんえんか》のヒトラーの命令で全面禁煙が貫《つらぬ》かれていたことは特筆すべきでしょう。

●影武者まで作られた「超機密列車」

アメリカ号がヒトラーを乗せて初の軍事遠征に出発したのは、1939年9月3日のこと。ベルリンから、ポーランドのポルチン・ズドルイへの旅程でした。

この2日前に、ヒトラーはポーランド侵攻を開始、第二次世界大戦が始まっていました。**この時も、そして今後も、ヒトラーはアメリカ号の中から戦線に指示を出すのが常となります。**重要な決議の指示、スペインのフランコや、イタリアのムッソリーニといった要人との対談を含む政務のほとんどすべてを、ヒトラーはアメリカ号に乗ったまま行ないました。

アメリカ号が走行する際には、列車の中だけでなく、線路沿いにも一定間隔で警備兵たちが配置され、列車の後ろについて車が走り、空には飛行機が飛ばされ、列車の運行を見守っています。

運行スケジュールにも徹底的な秘密主義が貫かれ、ある駅を通過するという時も、駅員に知らせられるのは通過数分前。列車が通る時、駅員たちは建物の中に入って待機していなければなりません。ホームからの狙撃《そげき》を防ぐためです。

さらに**アメリカ号には〝影武者《かげむしや》〟まであり、本当にヒトラーの乗っているアメリカ号の前か、後に走らせる**という疑《こ》りようです。

臆病なヒトラーはここまでして、〝安全〟に固執しました。

●全世界に向け、ドイツの勝利をアピール

1940年6月、フランスがドイツとの戦闘開始からわずか約4週間で降伏することになりました。ヒトラーお得意の電撃作戦にまんまとやられ、戦力の大半を失ってしまったがゆえに戦争を継続できなくなったのです。

休戦協定が結ばれた同年6月22日、ヒトラーはアメリカ号を降り、パリ近郊のコンピエーニュの森に止められた鉄道の車両の中で調印が行なわれました。

この時さえもヒトラーは車両に乗りたがるのですが、この車両には特別の因縁がありました。かつて第一次世界大戦で降伏した**ドイツが、きわめて屈辱《くつじよく》的な内容の休戦協定にサインせざるをえなくなった車両**だったのです。

ここで勝利宣言をすることで、**ヒトラーはドイツの敗北の過去を自分が塗り替えたと、全世界にアピール**したのでした。

●走らぬ列車に秘められた「静かな狂気」

1941年6月、ヒトラーはソビエト連邦にお得意の奇襲攻撃をかけ、戦争を始めます。しかし、この通称「バルバロッサ作戦」は失敗に終わりました。ソ連との戦局ははかばかしくなく、**ヒトラーの妄想癖も悪化の一途をたどりました**。

ヒトラーが列車のなかで
夢見た世界はどんなものだったのか

ヒトラーは東プロイセン州のラステンブルク（現在のポーランド領ケントシン）の森にアメリカ号ごと、隠れてしまうようになります。

そこで彼は対ソ連戦の指揮を執《と》りました。森は**「狼《おおかみ》の巣」**と勇ましい名前で呼ばれました。しかし……車両内は冷暖房完備とはいえ、夏は暑く蚊《か》だらけ、冬は雪に閉ざされた凍える森の中で約2年間、ソ連軍がドイツ国内に攻め込んでくるまでのほとんどの期間を過ごし続けたのは異様としか言いようがありません。

それでもヒトラーにとって、森の中に、それも**列車に乗ったまま隠れている最大の利点は、悪化していく戦局という現実に直接向かい合わないですむ**ことだったのでしょう。走らぬ列車は、ヒトラーの夢を守る防御壁にもなっていたのです。

現実的にはモスクワ攻撃、スターリングラードの攻防戦の失敗によって、兵士数は激減、軍事作戦の決行にすら支障が出る状態でした。それでも、ヒトラーは1941年12月にはアメリカに宣戦布告しています。

アメリカとの戦闘開始によって、御用列車もアメリカ号とは呼べなくなり、「ブランデンブルク号」と改名されました。ブランデンブルクはドイツの首都ベルリンを象徴する名前です。実際にはヒトラーは「狼の巣」と呼ばれた森に隠れ、何年もその首都を放置したままだったのですが……。

●「暗殺よりも『自滅』のほうが早い」

1944年6月、イギリスでは何十回目かのヒトラー暗殺計画、通称「フォックスレイ計画」が動き出しました。

比較的監視の目が向けられていない**飲料タンクの水に〝I〟と呼ばれる遅効性の毒薬を仕込ませれば、なんとか暗殺できそう**というところまで計画は進んでいました。ヒトラーは毎日、大量の紅茶にミルクを入れて飲んでいることが判明しており、紅茶の色が多少、毒によっておかしくなっても気づかないだろうとまで考慮されていたのですから驚きです。

しかし、アメリカとまで戦い始めた狂気のヒトラーに、**ここで彼を殺しても、ナチス残党によって聖人扱いされるだけだから、放置していたほうが早く自滅するはずだ**という議論がイギリス国内で優勢となり、暗殺は行なわれないままでした。

1945年1月16日、ついにソ連軍の侵攻によって「狼の巣」の森にいることができなくなったヒトラーは、首都ベルリンに数年ぶりに帰還しました。旧アメリカ号の最後の旅でした。

長年、森に隠れていたヒトラーが見たのは瓦礫《がれき》の山と化した首都の姿であり、官邸は爆撃を受けて使えないという過酷《かこく》な現実でした。以降、死の日までヒトラーは官邸地下のシェルターにこもったままでした。

●戦争の象徴「アメリカ号」は生まれ変わる

ヒトラーが4月30日に自殺すると、旧アメリカ号の処遇は、SSと呼ばれたヒトラーの親衛隊に任されることになりました。彼らは全車両の内部にガソリンを大量に撒いて、ダイナマイトと手榴弾《しゅりゅうだん》を仕込み、粉々に爆破するという選択をします。

しかし、ドイツ国内には大量のナチス幹部の特別列車が残されました。ナチス幹部たちはヒトラーのアメリカ号を真似て、アジア号、アトランティック号、アフリカ号などという名前の特別列車を作らせていたのです。

これらは第二次世界大戦後、**アメリカやイギリスの軍人たちが熱望する人気戦利品となり、戦後のヨーロッパを走りまわる**ことになります。

1950年代の西ドイツに車両は返還されますが、今度は首相アデナウアーが車両を改装、自分の御用列車に生まれ変わらせたのでした。驚くべきことに、**1980年代までドイツ国内で、旧ナチスの御用列車は現役**でした。ビートルズや、エリザベス2世といった賓客たちもこれに乗せられました。

第二次世界大戦開始時、アメリカ号をはじめ、ナチス幹部の特別列車は25本もありましたが、現在ではわずかな車両が博物館に残されているだけです。

消えたフランス軍艦と
幕末志士、土方歳三の死にまつわる謎

明治元年（1868）12月、榎本武揚《えのもとたけあき》を総裁とする**「蝦夷《えぞ》共和国」が北海道・箱館《はこだて》の地に発足**しました。

その「陸軍奉行並《りくぐんぶぎようなみ》」つまり**軍務の重職についたのが、土方歳三《ひじかたとしぞう》**だったのです（ちなみに関係者は決して使わなかった「蝦夷共和国」の名称ですが、一般的にもっとも浸透しているとの観点から、本稿ではあえて使用することにします）。

洋装の土方が、穏やかな表情のポートレート写真を撮らせたのはこの時期です。

しかし、平穏な日々は続かず、明治2年（1869）5月初旬、明治新政府軍はついに箱館に侵攻を開始、蝦夷共和国との総力戦が始まりました。**世にいう「箱館戦争」です。**

土方らは善戦しましたが、味方3000人に対し、敵は8000人という劣勢が大

きく影響し、5月11日、箱館市中で起きた銃撃戦において土方は敵弾に倒れ、命を落としたといわれます。享年わずか35歳。

しかし、そんな**土方に、生存説がある**のはご存知でしょうか。**土方の死体は今日に至るまで発見されていません**。また、「土方が箱館市内で亡くなった」という証言が一致しているだけで、証言者によって土方が死んだ場所、死の時刻、最期の様子がかなり異なり、矛盾しています。

土方の死の状況を、改めて振り返ってみましょう。

砲撃を受けた土方が落馬した瞬間、沢忠助《さわちゆうすけ》という兵士だけが彼のそばにいたといいます。異変に気づいた安富才助《やすとみさいすけ》も駆け寄り、二人は土方の死を確認しました。

安富は土方の愛馬を引き、五稜郭《ごりようかく》まで戻ります。五稜郭からは「市中取締役」の小《こ》芝長之助《しばちようのすけ》が派遣されてきました。

小芝は土方の遺体を受け取り、五稜郭の近くに埋めたというのですが、その場所は現在に至るまでわかっていません。**小芝が正確な記録を「なぜか」残していない**からです。

●「ロシア亡命」へのシナリオ

小芝はなぜ、土方の埋葬地の記録を正確に残さなかったのか……それは**「本当は、彼が土方を埋葬しなかったから」**と本稿では仮定し、その後を推理してみましょう。以下は筆者の推論です。

落馬した土方は意識を失い、絶命したように見えたのではないでしょうか。しかし、小芝に担《かつ》がれ、運ばれるうちに土方が息を吹き返したとしたら……。そうなれば小芝は敬愛する土方の命を救いたいと願ってもおかしくはありません。それが土方の外国亡命に繋《つな》がった、という一見ありえなさそうなシナリオが、一番現実的であるように筆者には思われるのです。

そもそも土方には、昔から**ロシア亡命の噂**があります。

箱館には、土方らに多額の活動資金を提供していた佐野専左衛門《さのせんざえもん》という豪商がいました。佐野の仲介でロシアに土方は渡ったともいわれますが、その可能性は低いでしょう。五稜郭の陥落が間近の今、土方の亡命に手を貸せば国際問題に発展しかねません。ロシア船がそんな大問題をすぐに独断できるはずはないからです。

フランスの「ラストサムライ」は陰で何をしていたか

しかし、それで土方国外逃亡の可能性が潰《つい》えるわけではないのですね。実は箱館沖合にはロシア船より、もっと強い可能性を秘めた外国船が停泊していたのです。それは、つい先日まで土方らと共に明治新政府軍と戦っていた、フランス軍人ジュール・ブリュネらが乗っている軍艦でした。

ブリュネらは、幕府とフランスの提携によって派遣され、もとは幕府末期の軍事訓練を担当していた外国人軍事顧問の残党です。幕府瓦解《がかい》の時点でフランスへの帰国命令が出たのですが、**ブリュネたち一部の将兵はそれを無視、フランス国籍を一時的に捨ててまで、盟友・土方らと行動を共にすることを選んだ**のでした。世にいう「ラストサムライ」です。

ブリュネたちは、最終決戦を前に、フランスが帰国用に派遣した軍艦コエトローゴン号に乗り込んでいたものの、その軍艦は「なぜか」なかなか出航しなかったことが記録に残っています。ブリュネらが戦友たちの最期をせめて近くで見届けたいと願ったからとも推測されますが、船は5月18日の五稜郭開城の後でさえ出航せず、22日になってようやく離日するという謎めいた経緯を見せているのです。

この背景にあるのが、土方の存在ではないか、というのが筆者の推論です。

瀕死《ひんし》の土方を担いだ小芝が豪商・佐野専左衛門のもとに転がり込み、諸外国と交流のある佐野はフランス側と交渉を開始します。土方は船に乗せられ、フランス側は重傷の土方の容態が少しでも落ち着くまで、ずっと待っていたのではないでしょうか。

しかし……**ブリュネは土方をフランスには連れ帰れてはいません**。フランスでの上陸記録がないのです。おそらく航海中に少しでも動けるようになった土方がアジアのどこかの港で、船を降りてしまったのではないでしょうか。

ブリュネは土方を高く評価し**「日本に武士道があるように、われわれには騎士道がある」**とも言っていました。しかし、仲間にいかに報いるかを重視するヨーロッパの騎士道と、おのれの死にざまに人生の総決算を見出《みいだ》そうとする土方の武士道には、大きな違いがあったのかもしれません。

2章 愛に溺れた者たちを待つ「運命」

愛人たちを次々と自殺に追い込む……ドビュッシーの自堕落な人生

小説家や画家といった他ジャンルの芸術家たちに比べ、作曲家の恋愛関係にはさほど注目が集まりません。小説家や画家がモデルに愛しい人を取り上げれば、すぐにわかりますが、「この曲は恋人をイメージして作りました！」と言われても、わかりにくいですからね。

作風と愛情生活が合致するのは、**クロード・ドビュッシー**くらいかもしれません。

ドビュッシーは海兵だった父親と裁縫師の母親のもと、フランス、パリ近くの町の貧しい家庭に生まれ育ちました。陶器店を営んでいた彼の父親は息子を昔の自分のように船乗りにするつもりでしたが、ピアノのレッスンを受け始めると、ドビュッシーの腕はめきめき上達しました。彼には、音楽家の道が開かれたのです。

母親の奔走《ほんそう》のかいあって立派な推薦状をもらったドビュッシーは、難関試験に合格し、わずか10歳でパリ高等音楽院へ入学しました。1872年のことです。

●美しき青年が年上女性たちと流した浮名の数々

晴れてパリ高等音楽院に通うようになったドビュッシーですが、内気で好きなことしかやらない頑固さを持つ彼は鳴かず飛ばずのまま、年月だけが過ぎました。

天才作曲家の逸話では、ごく若いうちに音楽院のたぐいに入学、そしてわずかな期間で飛び級で卒業する、というのが定番ですが、**ドビュッシーは、かれこれ10年以上もだらだらと在学**していました。

なぜ、彼の在学期間はそんなにも長引いたのでしょうか。一つには、より収入が得やすいピアニスト志望から、そうとは言えない作曲家志望に転向したこともあるでしょう。でも、おそらくは学生という曖昧《あいまい》な身分が彼には心地良かったからでしょうね。

既婚女性と関係を持つことを覚えたのも、パリ高等音楽院在学中の1881年でした。

額《ひたい》が出すぎていることが強《し》いて言えば難《なん》でしたが、**彼は色男の父親譲《ゆず》りのすぐれた容貌を持っていました**。

それを武器にして摑《つか》んだ最初の恋人は、当時32歳のマリ＝ブランシュ・ヴァニエ夫人……赤毛と緑の瞳《ひとみ》を持つ裕福な既婚女性です。彼女には当時10代の子供が2人もいたというのに、驚異的な若々しさだったそうです。ドビュッシーが19歳の時に始まったヴァニエ夫人との関係は、その夫にも甘えるという風変わりな形で7年近くも続きました。

そんな中、ドビュッシーは転機を迎え、権威ある作曲コンクールで優勝し、「ローマ賞」を受賞します。

この時、彼に与えられていたテーマは「放蕩《ほうとう》息子」。聖書を題材としたテーマですが、放蕩者のドビュッシーにこれ以上ふさわしいものはないでしょう。

恩賞として芸術の都・ローマへの留学権が与えられましたが、夫人に会いたいがため、何度もフランスに帰国して密会を重ねる情けない留学生でした。

● 天才音楽家の終わらないヒモ生活

ヴァニエ夫人との縁を切ったドビュッシーは1892年、**ようやく実家にパラサイトすることを止め、30歳を目前に独立**します。しかしそれは建前で、実際にはガブリエル・デュポン（あだ名はギャビー）という女性の家に転がり込んだのでした。**生涯続くことになる、ヒモ生活の始まり**です。

ギャビーはドビュッシーの不貞《ふてい》を受け入れ、浪費家の彼に尽くしました。ドビュッシーはこの頃、カフェに入り浸《びた》り、交友関係を広げたとされますが、カフェ通いのための小遣いは、ギャビーが渡していたのでしょう。

しかし、ドビュッシーは献身的なギャビーを手ひどく裏切ります。なんと、**ギャビーの古くからの友人で婦人服店のマヌカンだったロザリー・テクシエ（あだ名はリリー）という女性と浮気**をしたのです。2人の関係を偶然見つけた手紙で知ってしまったギャビーは激怒し、**ピストルによる自殺**を試みました。自殺は未遂《みすい》に終わり、その後、いったんは元の鞘《さや》に収まったギャビーとドビュッシーでしたが、やはり破局。

愛を失ったドビュッシーはすぐにリリーのところに転がり込み、結婚までしてしまったのでした。1899年頃の話です。

●不倫の「高すぎる代償」

1903年、ドビュッシーは性懲《しょうこ》りもなく、また人妻に恋をします。相手はドビュッシーの生徒の母親、銀行家の夫人のエンマ・バルダックという女性でした。**貧乏人より金持ちの女が良い**、とでも思ったのか、エンマとドビュッシーの関係は急速に深まります。

ですが、ドビュッシーの妻リリーは、夫の不倫にまったく気づいていなかったようです。ドビュッシーがウジウジと悩んだ末に離婚をリリーに切り出すと、よほど衝撃的だったのか、あるいは感情があふれやすい性格だったのか、**リリーは腹部をピストルで撃ち抜いて自殺を図りました**。

なんとか一命をとりとめたリリーとはさんざん揉《も》めた末、離婚が成立します。毎月400フランの慰謝料を払う、という条件付きでした。20世紀初頭の1フランは現代の日本では約1500円。高額の慰謝料を払えるわけもなく、案の定、1905年から始まった支払いは、5年ほどで途絶えます。

ドビュッシーは、夫と離婚したエンマと再婚します。ですが、**「金持ちの女に身も心も売り渡したのか！」**と不倫の末のブルジョワ夫人との再婚を仲間や支持者から咎《とが》められ、多くはない仕事はさらに減ってしまいました。

1905年、当時43歳だったドビュッシーに待望の娘が生まれます。両親の名前を取ってクロード・エンマと名付けられた彼女は「シュシュ」という愛称で呼ばれ、ドビュッシーは娘に対しては非常に良い父親になりました。

しかし、**「良い夫」であったとは言い難く、この年にはエンマとの〝家庭内別居〟が始まっています**。

離婚こそしなかったものの、2人の結婚生活は長くは続きませんでした。1914年に直腸ガンが発覚し、1918年にドビュッシーは亡くなります。

病に侵《おか》されてから死までの約4年間、ドビュッシーは精力的に作曲に取り組み、数多くの美しい楽曲を生み出しました。

色彩豊かといわれる彼の音楽人生の最終期に、その名も『白と黒で』(1915)というモノクロームの世界、もっというと〝死〟をテーマとしたピアノ二重奏のための曲が作られているのは象徴的でした。

ギャングスター、ボニー&クライドを待ち受けた恐ろしい最期

ファッショナブルな服装の美男美女のギャングが、壮絶な銃撃戦《じゅうげきせん》の末に即死……世界でもっとも多く創作物のテーマとなり、もっとも有名な犯罪者となった**「ボニー&クライド」こと、ボニー・パーカーとクライド・バロウ**の2人が出会ったのは、1930年1月のことでした。

この時、ボニーは20歳、クライドは21歳です。前年の10月に始まった「世界恐慌」の影響は大きく、街には失業者が目立ち、平凡な若者たちの未来に暗雲が立ち込める中での出会いでした。

16歳で結婚した夫が家に戻ってこなくなって久しく、鬱屈《うっくつ》していたボニーは、友人の家で出会ったクライドに強く惹《ひ》かれます。

●世界を震撼させたギャングは「ただの若者」だった

ボニーは身長150センチほどの小柄なブロンド娘で、**母・エマに、まるで子供のように甘えてばかりの優等生**でした。

ですが、**好きになった男性に入れ込んでしまう傾向が15歳の時に現われてからは、人生が一変します**。高校の上級生だったロイ・ソーントンと結婚していたボニーでしたが、彼女が生涯をかけて愛するクライドという男に出会うと、帰ってこない夫とはさっさと離婚しました。

クライドは背が取り立てて高いわけでもなく、大きな耳が左右に張り出した風貌《ふうぼう》は王道のハンサムガイではありませんでした。しかし、線の細い美少年の面影の残るその写真から、彼が大いにモテたという証言はウソではないとわかります。ボニーと出会った頃には、すでに窃盗《せっとう》などの犯罪歴をたくさん持っていましたが……。

筆者にとって興味深いのは、**「2人が愛し合うカップルであった」というボニー&**

クライド伝説の根幹部分は作り話だということですね。

クライドはボニーと出会うまで、恋愛と無縁というわけではなかったものの、女の子より、男の子たちと遊ぶことを好みました。

ボニーのパートナーになってからも、彼女にキスするところは3回と見たことがないというのは、ボニーの母親・エマの証言です。

犯罪者の精神はしばしば幼児のレベルにとどまるという分析はおなじみです。おそらく、**クライドは身体的には成長し大人になっていても、その内面はいまだ女性を愛し、愛されるレベルには到達していなかった**のでしょう。もしくは、彼がボスを気取るギャング団にいたW・D・ジョーンズという不良少年が「クライドに時々襲われた」と言っているように、**本質的には男の子のほうが好きなタイプだった**のかもしれません。とにかく2人は「相思相愛のカップル」というわけではありませんでした。

● 相棒に見捨てられた少女

しかし自分のギャング団にボニーを引き入れたのですから、クライドもボニーにそれ相応の好意はあったのでしょう。ただ、彼の好意は深いとは言えなかったようです。それを示すのが、2人の**「初仕事」のエピソード**です。

ボニーはクライドが企《くわだ》てた襲撃事件に参加するため、母親を騙《だま》して、ヒューストンで化粧品の仕事をするといって故郷のダラスを離れました。

ところが、このボニーとクライドの「初仕事」は大失敗、**彼女はクライドから完全に見捨てられ、警察に逮捕されてしまったのです**。

ダラスの南東30キロにあるカウフマンという街の勾留所《こうりゅうじょ》に母親がやってくると、ボニーは声をあげて泣き、**「もうクライドとは別れる」**などと殊勝《しゅしょう》なことまで言いました。

しかし、前科者になった今、平凡な生活には後戻りできない、もはや女盗賊にでもなるしかないという思いは彼女の中で高まっていたのでしょう。何より、クライドと別れるという選択が不可能なことは、ボニー自身が誰よりも理解していたと思われます。

カウフマンの監獄《かんごく》で、ボニーは次のような一節を含む『自殺者サルの物語（THE

STORY OF SUICIDE SAL)』という長い詩を残しています。

「女の喜びについて聞いたことがあるだろう 完全なロクデナシにハマった女のね」

釈放されたボニーはやつれ、ひどく老けて見えたそうですが、内面も20代前半の若者とは思えないほどに荒れ果てていたようですね。

とうとう迎えに来なかったクライドのもとに、ボニーは自分から合流、その後も行動を共にしました。

●フォードを乗りこなし、次々に殺人を犯す

１９３０年代のアメリカでは多くのギャングが現われ、銀行強盗などの罪を重ねました。ボニーとクライドが奪った総額二千数百ドルは、ギャングの「相場」では少ないとよくいわれます。

当時の1ドルは現代日本の貨幣価値で5000円程度。何回も銀行強盗をしたのに1000万円程度しか奪えなかったと考えると、確かに少ない部類かもしれません。**特筆すべきは彼らの12件、13人の犠牲者という殺人件数の多さです**。老人を殺したのに、現金28ドル、食料品数点しか得られないような事件も起こしました。**殺人に対する良心の呵責《かしゃく》がほとんどない**。これがボニーとクライド……とくにクライドの異常さを物語っています。

しかし、「犯罪者を捕まえるにも、彼らが罪を犯した州の中でのみ捕まえることができる。追跡は不可能」という当時のアメリカの法律をあざ笑うかのように、州から州へと、フォード社の最新自動車V‐8でボニーとクライドは走り去り、**その手口があまりに鮮やかなので、彼らにはファンさえ付き始めた**のです。

「人殺しは気分が悪い、むかむかする」

現代のわれわれにとって奇妙なのは、ボニーとクライドの家族たちが、殺人で有名になった我が子たちの犯罪を黙認、もしくはそれに近い態度を取っていたことです。

マザコン気味だったボニーが「お母さんに会いたい」と泣くと、クライドは彼女と母親を「密会」させていました。

また自分自身の家族とも頻繁《ひんぱん》に「密会」していました。クライドは姉から**「あんたまた、殺《や》っちゃったみたいね」**と聞かれると**「人殺しは気分が悪い。むかむかする」**と、まるで食べ過ぎた時のように語るだけでした。

当人たちと家族が間の抜けたやり取りを繰り返す中、**警察の包囲網はすでにボニーとクライドに迫りつつありました。**

一味のメンバーだったメスヴィンという男が、ボニーとクライドと離れ離れになった時に逮捕されます。これまでの行動から言えば、釈放されたメスヴィンが実家に戻れば、絶対にボニーとクライドが彼を連れ戻しに現われるはず……という警察の場当たり式の目論見が「当たった」のです。

警察はメスヴィンの父親のトラックをおとりにし、道路上で立ち往生させているように見せかけました。

そこに本当に通りかかったボニーとクライドが、見慣れたメスヴィン家のトラックが道路で止まっているのに反応、**例のフォードの車を止めた瞬間に雨あられのような銃撃が開始されたのです**。窓という窓が砕け散り、車体は穴だらけになりました。

二人の身体を貫いた銃弾の数はそれぞれ数十発以上、ボニーが絶叫、クライドが反撃のために銃を手にしかけた瞬間に訪れた突然の死でした。

ボニーがクライドに出会ってから4年目の出来事です。ボニーにとっては一生分に相当するような濃密な4年だったことでしょうが……。

●二人の遺体に群がるファンたち

映画などではここで終わるのが通例です。しかし、この後の異常事態について筆者はお話しせずにはいられません。

ボニーとクライドの遺体は、アーカディアという町で、検屍《けんし》前に「公開」されました。捜査官が遺体を外に放置して、用事に出かけてしまったのです。

遺体を放置したのは手こずらせた彼らへの見せしめのつもりだったのでしょうが、**彼らのファンが、全米から数百人以上も殺到した**のは想定外でした。捜査官たちが場を留守にしているスキに、ファンたちの興奮は頂点に達しました。彼らはボニーやクライドから記念品を奪おうと、**その血まみれの衣服をずたずたに引き裂きました**。ボニーに至っては髪をばっさりとわかるレベルで刈り取られていました。

クライドの、それも銃の引き金を引く人差し指を切断して持っていこうとしている男や、彼の特徴的な大きな耳を切り取るため、奮闘《ふんとう》中の男の姿もありました。クライドの死体をまるごと買い取りたいという男もいました。これらは捜査官によって拒まれたようですが……。

アメリカ中に満ちあふれていた荒《すさ》んだ空気を象徴するかのように、当時のアメリカで民衆の喝采《かっさい》を浴びたのは正義のヒーローではなく、指名手配中の殺人狂のギャングたちでした。

明日は自分が襲われるかもしれないのに、彼らはギャングたちの起こす派手な銃撃戦や逃走劇に興奮しました。そんなファンに、ボニーとクライドの家族たちは遺品を高値で売りさばき、たいそう儲《もう》けたそうです。

「平凡な悪」という言葉がありますが、**ギャングたちのもとの人物像が凡庸《ぼんよう》であればあるほど、共感の対象となり、さらにその派手な死にざまの哀れさによって爆発的な人気を引き起こしてしまった**……それがボニー&クライドの真実の姿でした。

旧約聖書の英雄ダヴィデの手に堕ちた美女バテシバ

「理想の王」として、いにしえの時代より敬愛される**イスラエルのダヴィデ王**。イスラエルの宿敵だったペリシテ人との戦《いくさ》の最中、巨人ゴリアテにたった一人で立ち向かい、巨人の眉間《みけん》に石をぶつけて勝利しました。

その勇姿はルネサンス時代の巨匠ミケランジェロの作品などで見ることができ、旧約聖書の登場人物の中では、もっとも有名な一人ではないでしょうか。

ミケランジェロ以前のダヴィデは、**か細い美少年が右手に刀、左手にゴリアテの生首をぶらさげて恍惚《こうこつ》としている耽美《たんび》的な姿**で表現されることが多かったようです。

一方、ミケランジェロのダヴィデは巨人に立ち向かい、まさに石を投げつけんとする**闘志にあふれた眼差し、すらりとした筋肉質の青年の姿**で表わされました。

とくに聖書を読み込んでいるわけでもない多くの日本人にとってダヴィデ王といえば、ミケランジェロのダヴィデ像の端正なイメージで記憶されていると思われます。

しかし、旧約聖書に見るダヴィデの人生は、とくに中年以降、**イスラエル王となってからは、女性問題ばかりで清潔な美青年のイメージとは程遠いもの**なのです。

●王に抱かれながら、夫を欺き続けた

イスラエルの最初の王、サウル亡き後、ダヴィデは2代目の王となり、イスラエル王国の統一に成功。国は富み栄えるようになります。

栄光をほしいままにするダヴィデ王の周囲には、女性が数多く侍《はべ》るようになりました。そういう生活に慣れてしまっていたことが不幸の始まりだったのでしょう。

ある日、ダヴィデは王宮の屋上から偶然、美しい女性が水浴びしている姿を目撃してしまいます。部下ウリヤの妻、**バテシバ**です。

ダヴィデはバテシバのことが忘れられず、**彼女を呼び寄せ、関係を結んでしまいます。**その結果、バテシバは懐妊しました。

そこでダヴィデは前線で戦うウリヤを呼び寄せ、バテシバと夜を過ごさせる、という隠蔽《いんぺい》工作をたくらみます。ウリヤがお腹の子は自分の子だ、と勘違いするように画策したのです。ところが、ウリヤは「他の兵士を置いて、戦場を離れるわけにはいかない」と、ダヴィデの計画にひっかかってはくれませんでした。

そこでダヴィデは、そんなに戦場が好きなら……と、なんと**ウリヤをあえて危険な前線に送り込み、討《う》ち死にするように仕向けた**のです。

服を着たダヴィデは
スキャンダルだらけだった

ウリヤの死を知らされたバテシバは悲しみましたが、結果的にダヴィデの妻の一人となることを受け入れました。

ダヴィデに逆らえず、彼に抱かれながら、そのダヴィデから夫ともうまくやるよう命令されていた……バテシバを襲ったのは、こんな異様な事態でした。それを受け入れざるを得なかったバテシバは、いったい何を思っていたのでしょうか……。

●力強く生きた女性、バテシバ

スキャンダルにほかならないこの逸話が、キリスト教徒の女性たちに長い間読みつがれてきたのは、**男性優位の社会において、このような事態は誰の身にも降りかかりうる災いだったから**でしょう。

恐ろしいことに、ダヴィデとバテシバの間に授かった**最初の子にはユダヤの神ヤハヴェの怒りが下り、幼くして亡くなりました**。ダヴィデはこれを深く悔い改めるのですが、神の怒りは結局、完全には解けぬままでした。

ダヴィデには8人の妻、そして10人を超える**側女**《そばめ》がいます。子供も多く、ダヴィデの後継者争いは絶えませんでした。**ダヴィデの家庭生活は不和に満ち、父親の命を狙う息子さえ現われます**。

なお、若き日はダヴィデに〝なされるがまま〟だったバテシバですが、ダヴィデが老いさらばえると、存在感を発揮するようになります。

ダヴィデの後継者として有力だったのは、生存している王子たちの中でももっとも年長だったアドニヤでした。ですが、**バテシバはアドニヤを退《しりぞ》け、彼女とダヴィデの間に生まれたソロモンを跡継ぎにすることに成功**しています。

逆境に鍛えられ、たくましくなったのか、それとも隠していた本領を発揮できる機会を待ち構えていたのか。旧約聖書の女性の中でも、バテシバが目を引く存在であることは間違いありません。

エドワード8世が王位を捨て手に入れた「本当に愛した人」

1936年12月11日、「王冠か恋か」で悩んだ末に、イギリス国王**エドワード8世が退位を表明した**ことは、世界中に衝撃を与えました。

エドワード8世の在位期間はわずか11カ月。前国王ジョージ5世の喪《も》も明けてはいない状況でした。しかも、**戴冠式《たいかんしき》もせぬままでの退位**だったのです。

皇太子時代のエドワードは飾らない人柄で知られ、英国王室の人気者として世界中を飛び回って、人々と触れ合いました。ラジオに出演した最初のイギリス王室のメンバーとしても知られ、**「君主制のスポークスマン」**と呼ばれていました。

彼の退位演説の**「私が愛する女性の助力も支持も得られないままでは（略）王位を全《まっと》うすることはできない」**という一節によって、エドワードの大衆的な人気はますます高まりました。

エドワードが王冠を捨ててまで添い遂げようとした「愛する女性」とは、**ウォレス・ウォーフィールド**のこと。世間では**「シンプソン夫人」**の名で有名な女性です。

愛と退位を天秤にかける

ウォレスとエドワードの結婚がイギリスの王室、教会、議会から猛反対された理由は、単にウォレスが2度の離婚歴を持つアメリカ人女性だったからではなく、**その素《そ》行《こう》のため**でした。ウォレスは結婚していながら男性関係が派手でした。そのボーイフレンドの一人はイタリアの外交官で、彼を通じ、ファシズム勢力にも接近していたことがありました。

それでもエドワードはウォレスに執着します。イギリス国王に即位した夜もウォレスと食事をしていたエドワードは、ウォレスと結婚するためなら退位も辞さないと言い始めます。

ヒートアップする一方のエドワードに対し、ウォレスは「私と別れて」と言ってい

たことが知られています。しかし、多くの人はウォレスが口先だけでそう言っていたのだろうと信じ込んできました。エドワードと結婚できれば、莫大《ばくだい》な財産に守られた豪華な生活が彼女にも保証されるからですね。

●真実を暴いた15通の「ラブレター」

しかし、**「別れて」というウォレスの言葉が真意だったと示すような、彼女から2番目の夫・アーネスト・シンプソンに宛てた手紙15通が、近年発見されています。**

2011年には「ウォリス・シンプソン：秘密の手紙」というテレビ番組も放送され、英米圏では話題を呼びました。

これによるとウォレスの「秘密の手紙」は、ウォレスとアーネストの離婚前後に送られたものです。中には、エドワード8世とめでたく結婚し、新婚旅行に出かけている最中に送られたものまでありました。

ウォレスは、前夫のアーネストに**「あなたがいなくて寂《さび》しい」**と訴え、エドワードとの新婚旅行中に送った手紙では、船舶会社を経営するアーネストのビジネスについて心配してみせています。「あなたがどこにいようと、信じてほしい。私が昼はあなたを想って何時間も過ごし、夜もあなたのために祈っていることを。私の愛のすべてを込めて」という熱烈な言葉で締めくくられた手紙もありました。

ウォレスも気の毒ではありますが、エドワードにはさらなる哀れを感じてしまいます。ウォレスをどうしても失いたくなかったエドワードは、**彼女を自分の手中から逃れられなくするために、退位を選ばざるを得なかったのではないか**……と筆者には思われてならないからです。

●「王冠を賭けた恋」は「見せかけの愛」だった?

とくに若くも美しくもないウォレスに、エドワードがなぜ真剣な恋をしたのかはよくわかりません。

世間には無責任な噂《うわさ》が飛び交いました。ウォレスが、最初の夫の仕事の都合で上海《シャンハイ》にいたことがあるのをあげつらい、上海の娼館《しょうかん》の女たちから学んだ特殊な性技にエドワードが惚れ込んだのだ、などという風説まであったのです。

エドワードをたぶらかした稀代《きたい》の悪女として公然と叩かれていたウォレスですが、それは悪意あるイメージに過ぎず、実際には母性愛の強い女性だったのではないかと筆者には思われるのです。それもダメな子ほど可愛いがるタイプですね。

シンプソン夫人だった時代のウォレスは、夫以外の男性とも浮名《うきな》を流していました。エドワードとの関係も純粋な興味から始まったものではなく、船舶会社を経営する夫のビジネスの助けにするためだったといいます。

推論ですが、エドワードの思わぬ執心《しゅうしん》によって、ウォレスは彼をコントロールできなくなってしまったのではないでしょうか。

本当は、別れたいとは微塵も思っていなかった夫からは愛想を尽かされ、**「僕は退位する。君が僕を本気にさせたからだ。君の本気も見せてくれ」**などとエドワードからは迫られ、**泣く泣く、夫と離縁せざるを得なくなった**……このあたりが「王冠を賭けた恋」の真実に近いのではないかと思います。

「知れば知るほど、イヤな部分が目立つ人物」

私見ですが、**エドワードは第一印象が一番良く、知れば知るほど、イヤな部分が目立つ人物**だったようです。

彼は時間や約束にだらしなく、地味な仕事を嫌い、ウォレス以外には非常にケチで、国王の本来の住まいであるロンドンのバッキンガム宮殿には寄り付かず、フォート・ベルヴェディアという郊外の城館に暮らしました。

エドワードはこの城館にウォレスを住まわせ、自分好みの豪華なインテリアや贅沢な食事、華麗なパーティなどを取り仕切ってくれる〝女主人〟として扱います。

即位後は国王が裁可すべき公文書なども、この郊外の城館へ届けさせるのですが、返事は遅く、誰が管理しているのかもあやふやで、閣僚たちを嘆かせました。

当時の首相、ウィンストン・チャーチルとエドワードは強い信頼関係で結ばれていましたが、チャーチルはウォレスに良い印象を持っておらず、**そのウォレスにぞっこんのエドワードの評価も最低に落ちました。**

家族、つまり英王室からさえ彼は信頼されているとは言い難い状況でした。退位の際も相当に恨まれています。エドワードの退位は、**代わりに即位することになる弟のヨーク公（後のジョージ6世）にまったく何も告げないままの電撃退位でした。**

しかも、ヨーク公は準備ができていないどころか、帝王教育など、これまでの人生でまったく受けてもいなかったのです。

●愛した女に「贅沢三昧」を許した

「大衆王」という異名を持つほど、人々から愛され、また多くの女性と関係を持ったエドワードですが、**実は恋人たちから真摯《しんし》に愛されていたとは言い難い**のです。この事実は、あまり知られていないかもしれませんね。

エドワードは、ハンサムでおしゃれ、そして大金持ちでしたが、愛想が良いだけの中身のない人間でした。本を読む習慣がなく、浅い教養しかありませんでした。

エドワードの素顔を知った女性たちが、それ相応の距離でしか付き合わなかった理由はそこにあるようです。ウォレスもそんなエドワードより、前夫アーネスト・シンプソンに気持ちが残ったのも当然です。

エドワードがウォレスの真の気持ちを知っていたのかはわかりません。

しかし退位して得た〝自由〟によって、ウォレスと結婚できたエドワードは「ウィンザー公爵《こうしゃく》」と名乗り、オーストリア、南仏、ヴェルサイユなどを転々、後にはフランス・リヴィエラの別荘シャトー・ラ・クロエ、そしてパリのサビーニ子爵《ししゃく》邸を行き来して暮らすようになります。

ウォレスは贅沢好きのエドワードのために、屋敷の改装をたびたび行ないました。

シンプルな装いに豪華な宝石を合わせるウォレスの着こなしは、そのスタイルブックが売り出されるなど、大いに人気を呼びます。エドワードも自伝の印税や、自分のラブストーリーの映画化権で儲けた大金を費やして、ウォレスのためにドレスや宝石をあつらえさせるのでした。

●人々を救った「贅沢の行く末」

ウォレスが1986年に亡くなった後、その宝石コレクションは「ウィンザー・ジュエリー」として、彼女の遺言に従って競売にかけられます。その売上は「王冠を賭けた恋」のブランド性もあって5500万ドルを越えましたが、これもウォレスの遺言通り、パスツール研究所のエイズ研究基金に寄付されました。

ウォレスとエドワードの贅沢な生活の産物ともいえる宝石コレクションは、彼らの生前、揶揄《やゆ》の対象でしたが、彼らの死後は夫妻の所有物だったということで高値が付き、医療の礎《いしずえ》になったのですから、運命とは面白いものです。

アメリカ大統領リンカーンを支配した超悪妻

歴代アメリカ大統領のうち、もっとも高い人気を誇り、識者からの評価も上々なのは、奴隷解放を成し遂げた**エイブラハム・リンカーン**だといわれています。

19世紀、イギリス・フランスの両国は「奴隷制反対」の立場をすでに掲げていました。彼らは人道的な批判にかこつけ、タイミングを見計らって軍隊を送り込んで南部と北部を分断、それぞれを別の国にすることでアメリカの弱体化を狙おうと画策したと言われています。それをリンカーンは奴隷解放宣言を出すことで、未然に防いだというのです。

知的な印象の強いリンカーンですが、実はきちんとした教育を受けたことはありませんでした。人生において学校に通ったのは約1年間だけ。しかもリンカーンが勉強していると、他の家族たちが「仕事を怠《なま》けている」と咎めるような環境でした。応援してくれたのは継母《ままはは》だけでした。

しかし、リンカーンの最大の才能といえる並外れた適応力は、こうした環境下だからこそ鍛えられたとも言えるのです。彼は店員の仕事をしながら本を読むうちに並みのインテリ以上の知識を得て、27歳の時には弁護士になってしまいます。

●未来の大統領を落とした「魔性の女」

「叩き上げ」のリンカーンが、典型的な南部のお嬢様であるメアリー・トッドと出会ったのは1839年のことでした。猛烈なアプローチをしたのはメアリーのほうだったと思われます。というのも、**リンカーンは非常に奥手だった**からです。

リンカーンは服装について無頓着《むとんちゃく》で、靴下が左右バラバラのこともありました。女性には異様にシャイで、弁護士という職業ゆえに社交界の一員ではありましたが、奇妙な立ち居振る舞いのリンカーンは異物そのものでした。それでも、メアリーからの〝攻撃〟にリンカーンが屈する形で婚約が交わされたのが1840年のこと。

周囲は「絶対に2人は合わない」と猛反対です。リンカーンの親友ジョシュア・スピードは「リンカーンはメアリーとの婚約を不幸に感じ」、「満足していなかった」と証言しています。

メアリーがリンカーンに固執したのは、〝女の直感〟でしょうか。政治に興味の強いメアリーの夢は大統領夫人、つまりアメリカのファーストレディーになることでした。

しかし、婚約しておきながらリンカーンは、彼女に「愛していない」と伝えます。メアリーは大声で泣き始め、つられてリンカーンの頰《ほお》にも涙が伝い、「それ以上耐えられなかった」がために婚約は継続されました。

それでも**「やはり彼女とは結婚したくない」**という気持ちを固めたリンカーンは、もう一度メアリーに面会し、婚約破棄を告げました。今度はさすがに冷たく対応されたらしく、リンカーンの心にも大きな傷が残りました。

その最悪の別離から18カ月後、共通の友人の画策で、あるパーティで再会するように仕組まれた2人はなし崩し的に復縁、そのまま結婚してしまうのでした。

けなげな妻を苦しめた悲劇

メアリーとの結婚をあれほど嫌っていたリンカーンですが、思ったほど結婚生活が悪くはないことに気づきます。一方、メアリーは環境の変化に苦しみます。

南部の上流家庭の常として、彼女は多くの奴隷に囲まれ、家事などせずに育ちました。しかし、結婚当時、リンカーンの弁護士としての収入では、狭い家で2人が暮らすだけでも精一杯、女中を雇《やと》うどころではありませんでした。メアリーは、最終的には炊事・洗濯なども自力でこなすようになります。

ですが、この前後からリンカーンの人生は好転し始めます。弁護士業の収入は上がり、州知事の給与と同額の1500ドル程度にもなりました。1834年に2度目のチャレンジでイリノイ州議会議員選挙に当選し、政治家への道を歩み出していたリンカーンは、結婚後の1846年にはアメリカ合衆国下院議員となります。

私生活も順調で、メアリーとの間に4人の息子を授かりました。

しかし、**最初の悲劇が1850年に起きます**。3歳の次男エディが肺結核で亡くなったのです。メアリーは悲嘆のあまり食事を拒否して寝込みました。その直後、メアリーが第三子を妊娠していたことが明らかになり、妊娠と出産が続きますが、メアリーの不安定さは増すばかりでした。

ある隣人の証言として、メアリーのヒステリーに対し、リンカーンは「保身のための難聴」で応じたというものがあります。メアリーの言葉を無視し続けた、ということでしょう。メアリーの夫への怒りはさらに高まり**「ナイフを片手に裏庭で追い回していた」とか「箒《ほうき》を振りかざして夫を家から追い出し」たり、「大きな木片で彼の頭を殴りつけた」**という隣人の目撃証言が大量に残されている始末です。

●「聡明な女性」から「浪費家の上流婦人」への転落

家庭内に大きな問題を抱えながらも1861年、ついにリンカーンはアメリカ大統領の座に輝きました。ファーストレディーになりたいというメアリーの夢も同時に叶ったことになりますが……メアリーの関心は**自分たち一家が〝田舎者〟としてワシン**

トンの上流社会でバカにされないかどうかに向けられていました。

その後もメアリーの関心は、政治そのものではなく、大統領夫人としての自分の権限を誇示することに向かいます。リンカーンを政務室に放置、自分はブルールームと呼ばれるレセプション室で夜な夜なパーティを開きました。その賓客の多くは魅力的な紳士たちで、彼らからチヤホヤされることを楽しみました。

夫の愛情を感じるのは、彼が嫉妬《しっと》のそぶりを見せる時だけだったからという説もありますが、リンカーンは妻の行動をすべて受け入れていたようです。

「妻は少女時代から変わらず美しい（略）。私が彼女と恋に落ち、その後また惚《ほ》れ直し、そのままの状態がこれまでずっと続いているというわけなのです」とリンカーンはある夜会で発言したそうですが……自由奔放《じゆうほんぽう》に振る舞っているようで、メアリーには夫が自分に対しては「事なかれ主義」を貫いているように思えたのかもしれません。

かつては「聡明で政治的関心の強い女性」だったメアリーはいつしか「外聞ばかり気にしている浪費家の上流婦人」に過ぎなくなっていました。見た目は華やかでしたが、メアリーの内面は次第に荒廃していきます。

大統領夫人としての評判は二分され、南北戦争の時にはなんと北部・南部の両方から、メアリーは様々な理由で非難されています。**敵・味方関係なく、国民全員から嫌われてしまった**わけです。

●聴衆を前に「罵詈雑言」を吐き続けたワケ

その南北戦争の終盤、ついに勝利が見えてきた頃、リンカーンはある閲兵式《えっぺいしき》に赴《おもむ》くことになります。目的は兵の激励です。

会場への道はぬかるんでいるにもかかわらず、メアリーは同行するといって譲りません。しかし豪華な彼女のドレスは邪魔になり、一行が馬で向かう中、メアリーたちだけが馬車で向かいました。馬車は定刻には到着できず、遅刻した彼女が会場に入るとすでに閲兵式は始まっていました。それればかりでなく、リンカーンの横にはオード夫人という、とある軍人の妻が立っているではありませんか。**メアリーは色をなしてオード夫人に詰め寄り、「士官の大勢いる前で下品な言葉遣いをもって罵詈雑言《ばりぞうごん》」を吐いたのです**。

オード夫人は泣き出し、周囲が困惑する中、メアリーは体力が切れるまで叫び続けました。その夜の晩餐会でもメアリーの咆哮《ほうこう》は続き、リンカーンはさすがに苦悩の面持ちでしたが、それでも妻には「いつも変わらない、きわめて優しい（略）愛情深い気遣いを示した」そうです。

翌朝、メアリーは昨日の自分の振る舞いを恥じ入っていたといいます。

彼女は、ファーストレディーとしてうまく振る舞おうとして、そうはできない自分に悩み続けたのでしょう。器の大きさで知られた夫とは異なり、メアリーはファーストレディーの器ではなかったのです。**夢を叶えたがゆえに彼女は不幸になってしまったのでした**。やがて、メアリーの精神のバランスは崩れていきます。

狂気の深みに陥《おちい》っていく妻を抱えることは並みの夫にとっては不幸なことでしょう。しかし、逆境であればあるほど自分を鍛《きた》え直し、成長できるのがリンカーンという男で、彼の〝餌《えさ》〟になってしまったのがメアリーの人生といえるかもしれません。悪妻であることでメアリーはリンカーンという偉人を作りましたが、メアリーにとってもリンカーンは良い夫ではありえなかったのではないでしょうか。

● 予知夢に表われたリンカーンの死

メアリーにとって不幸の極みは、彼女なりに愛していたリンカーンを目の前で暗殺されたことです。

リンカーンには予知夢を見る力がありました。

暗殺される前に彼は「ホワイトハウスでは暗殺された大統領が棺に収まっており、みんなが泣いているのを眺めている夢」を見ています。メアリーはこれを非常に気にしていました。

1865年4月15日の夜10時12分過ぎ、観劇中のリンカーン夫妻のボックス席に案内された**ジョン・ウィルクス・ブースという男が、突然、拳銃《けんじゅう》でリンカーンの後頭部に向かって発砲**。**リンカーンは即死します**。

捕らえられそうになったブースは「暴君は常にこうなるのだ」とラテン語で叫んで逃走し、観客たちはあまりの出来事にこれは劇の演出では、と思ったそうですが、ボックス席のメアリーが「大統領が撃たれた」と泣き叫ぶのに気づき、事態の深刻さを初めて理解しました。

メアリーの理性はこの後、崩壊の一途をたどり、後には唯一生き残った長男ロバートの手で精神病院に入れられることになります。

「死にたい」という彼女の最後の願いが叶えられたのは、63歳の時でした。

ヴィクトリア女王、最後の恋のお相手は「嘘つきインド人」

君主の生活は、膨大な数の使用人たちの奉仕によって成り立っています。すべての使用人たちに対し、君主は平等に接することが求められますが、君主とて一人の人間です。**特定の使用人への偏愛が生まれ、それが宮廷に奉仕する他の多くの者たちの間で反感を生む**ことは、しばしば起こりうる問題でした。

生涯の前半では公務を精力的にこなし、大英帝国の最盛期を作り上げた**ヴィクトリア女王**の晩年のケースがまさにそれです。

1861年12月、ヴィクトリア女王は愛する夫・アルバート公を失いました。そのショックはあまりに大きく、公務全般に関心が薄れ、公式の場に出ることを女王は拒否するようになります。そして、ありあまる時間と気力を、膨大な数の使用人の生活に直接介入することで消費するようになりました。

●女王に身も心も捧げる「ナイト」

若い頃からヴィクトリアには「威厳《いげん》」がありました。悪く言えば弁が立ちすぎて、強情な女性でした。しかし、そんな資質の持ち主であっても、男性優位の社会で頂点となる「女王」という立場にあり続けることはなかなかに困難でした。

女王としての職務遂行《すいこう》に、**彼女だけを特別に想い、滅私《めっし》奉公《ほうこう》をこなしてくれる「ナイト」**を必要としても不思議ではありません。

アルバート公の死後、「ナイト」の役割は様々な従者たちに引き継がれていきます。そのうちの一人が、1887年にイギリスにやってきた**インド人使用人のアブドゥル・カリム**でした。

この年、ヴィクトリアは数えで69歳。即位50周年記念式典に集まった各地の王族にはインドからやってきたマハラジャたちもおり、その使用人の中にアブドゥル・カリムがいたのです。

ヴィクトリアはまだまだ元気でしたが、リウマチや消化機能の悪化、そして不眠などの不具合を感じ始めてもいました。時に弱気になるヴィクトリアの心の隙間《すきま》に入り込んだのが、24歳のアブドゥル・カリムです。**当時はまだ細身だった彼のエキゾチックでハンサムな容貌《ようぼう》に、ヴィクトリアは魅了されてしまいます。**

女王を「老いらくの恋」に導く青年

ヴィクトリアのインドびいきは不自然なまでに高まり、食事のたびにインドの民族衣装をまとったアブドゥル・カリムらを自分の側に立たせてみたり、宮廷の厨房で作らせたカレーを食べるようになります。ついには、彼からヒンドゥー語を学ぶまでになりました。

「ムンシー（老師）」という尊称で呼ばれたアブドゥルは、女王には優しく振る舞いましたが、他のインド人使用人、さらにはイギリス人使用人たちへはもちろん、紳士・淑女たちにも傲慢《ごうまん》な態度を貫き、**反感の嵐を宮廷に巻き起こします。**

女王の寵愛は、身分の点でも、その人間的な資質においても不適切な相手に迸《ほとばし》り落ちてしまったのでした。

●女王が溺れた男の正体は？

後年になればなるほどヴィクトリアの思い込みは激しくなり、アブドゥル・カリムはインドで尊敬されている軍医の息子で、上流階級出身者だから、テーブルの横に立たせている給仕の仕事などを与えるのは失礼ということになり、英語もロクに書けない彼を秘書扱いするようになります。

アブドゥル・カリムの父親は「自称・医師」ですが、実際は薬屋店主に過ぎません。しかも、その父親は当時、監獄に入れられている罪人でした。

アブドゥル・カリムの素行にも問題がありました。女王の「ナイト」には独身であることが求められていたにもかかわらず、彼は既婚者であることを当初ヴィクトリアに隠しており、おまけに淋病《りんびょう》も患《わずら》っていました。

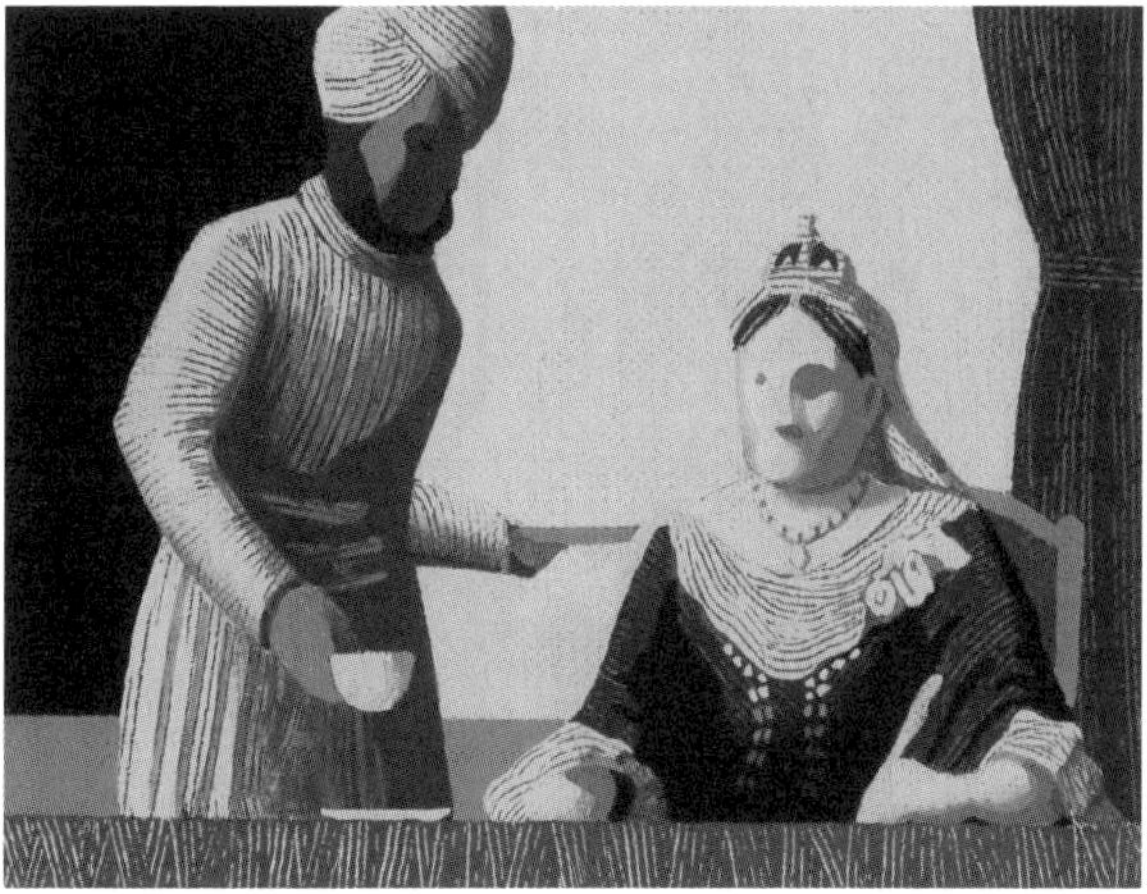

一族も悪評高く、共にイギリスの宮廷で働いていた**義兄のホーメット・アリが1889年、ヴィクトリアのブローチを盗み、それを宝石商に売りさばく**事件を起こしています。

ヴィクトリアは、それでも義兄が犯罪者扱いにされることで自分の立場の悪化を防ぎたいアブドゥル・カリムの〝言い訳〟を全面的に受け入れました。

「ブローチは床に落ちていたのだ。インドでは拾ったものは誰にも告げずしまっておくことが習慣（と、アブドゥルが言っていた）」などと、彼らを全面擁護《ようご》するのです。

ホーメット・アリはしまっておくどころか、売りさばいているのですが……。

●「陛下のご正気が疑われております」

アブドゥル・カリム自身も女王に隠れ、怪しい商売を行なっていた形跡があります。成人男性なら1万2000〜1万5000人ほどの致死量に相当する毒薬を、インドにいる彼の父（例の元受刑者）のもとに送ってくれ、と女王つきの侍医《じい》ジェームズ・リードに頼んだこともありました。

ヴィクトリアはこれらの証拠を突きつけられ、彼への不適切な寵愛を止めるよう、そして**「陛下のご正気が疑われております」**などと強い言葉で非難されてもなお、自身の言動を改めることはありませんでした。

やがてヴィクトリアの異常な執心について、侍医のリードは**「陛下は明らかにムンシーの正体に気づいている。それでも彼に執着するつもりだ」**と諦めた口調で書くようになります。

所詮《しょせん》、アブドゥル・カリムは「虎の威を借る狐《きつね》」、小悪党に過ぎないのですが、最大の問題はヴィクトリア女王です。アブドウル・カリムやその一党の問題点を突かれると、女王は「あなたは人種差別者だ」などといって激高するので、アブドゥルにインドのマハラジャにも与えたことのない高位の勲章《くんしょう》を与える女王を周囲の誰も止められなくなってしまいました。

勲章持ちになったアブドゥルはイギリスの貴族に準じる存在ですから、ヴィクトリアは宮廷の紳士淑女に、彼と共にテーブルを囲むよう命令します。

しかしそれを拒否されると、女王は怒りのあまり自分のデスクの上にあったインクやペン、香水瓶やペーパーウェイト、写真や装身具といったものをすべて床に払い落として暴れるのでした。

●加齢の前に薄れていく「異様な寵愛」

ヴィクトリアは、アブドゥル・カリムがやがて、宮廷での立場を失うことを予期していたのでしょう。女王は自分の死後、インドに送還されるであろう彼に土地と豪華な屋敷を買ってもあまるだけの大金を与えていました。

しかし、やがてヴィクトリアのアブドゥル・カリムへの**異様な寵愛も、加齢による**

病状の悪化によって薄れるようになります。最後の「ナイト」として返り咲いたのは、女王に20年以上尽くしてきた侍医・リードでした。

1901年1月にヴィクトリアが亡くなると、アブドゥル・カリムにも葬儀に参列し、棺の中の女王に最後の別れを告げる許可が下ります。しかし、すぐさまインドへの送還が決定、宮中にあったアブドゥル・カリムに関するものはほとんど捨てられてしまいました。

また、かつてヴィクトリアの心を支配していた馬丁《ばてい》のジョン・ブラウンやアブドゥル・カリムといった使用人との不適切な関係の記録が後世に残ることを危惧したヴィクトリアの娘のベアトリス王女の手で、**女王の日記の大部分が破棄され、彼らの本当の関係について後世のわれわれが知ることはできなくなりました。**

しかし、日記を始末されてもなお、これだけのことがわかっている時点で、すべては推して知るべしでしょう。

夫を失い、子供たちも独立した後、ヴィクトリアのような精力的な女性が次に自分の愛情を傾ける対象を「間違えた」場合、そこに現われるのは悲劇しかありません。

3章

「病と命」との終わることなき闘い

人々を次々と感染させた、恐るべき無症状女……「チフスのメアリ」

現在ではかなり珍しくなったものの、恐ろしい病気の一つである**チフス**。その病名は、ギリシャ語の「霧」もしくは「意識朦朧《もうろう》」という単語がもとになっているといわれます。腸チフスの症状の一つである高熱と意識障害を指しているのですが、腸チフス菌に感染した後、数日は、せいぜい体調不良を感じる程度の症状しか出ないことも多く、その間に**保菌者は腸チフス菌をそこら中にばらまき、感染拡大させてしまう**のです。

しかし、ごく少数ながら**「健康保菌者」**と呼ばれる人たちがいます。

彼らは何年、何十年もの間、腸チフスに感染し続けたまま、自分自身には何の症状も出すこともなく、淡々と生活をし続けます。つまり、腸チフスの健康保菌者は、腸チフスの菌を胆道《たんどう》や胆嚢《たんのう》に住まわせたまま生きているわけです。症状が出ないので、免疫《めんえき》もできず、彼らは**知らず知らずのうちに周囲にチフスの大流行を引き起こし続けるのでした。

●チフスをばらまき続けた女料理人

通称「チフスのメアリ」ことメアリ・マロン（1869－1938）は、アイルランドからアメリカに移民してきた、優秀な女料理人でした。
しかし、それは表の顔で、**彼女はチフスの「健康保菌者」でした**。彼女の勤めた家庭や施設では、彼女の在職時にだけ、かならず腸チフスが蔓延《まんえん》するのです。

1902年の夏頃、メアリを雇ったアメリカ・メイン州ダークハーバー在住の弁護士一家8人のうち7人が、彼女の着任から2週間以内に腸チフスで倒れました。元凶のメアリは献身的に病人を看護してまわり、事情を知らない弁護士は彼女の働きに感謝し、50ドルのボーナス（現在の貨幣価値で約10万円）を支払ったそうです。

笑えない冗談のような話ですが、本当にあったことです。

興味深いのは、**メアリは死ぬまで、自分が保菌者である事実を決して認めなかった**ことです。もしかしたら自分が……という恐れは常に彼女の中にあったにもかかわらず……。

新聞が騒ぎ立てた「死を運ぶ魔女」

1909年、メアリは、例のごとく当時の雇い主一家の大半を腸チフスに感染させた後、こつ然と姿を消していました。しかし、雇い主一家の手当てをしていたソーパーという医師が、ついに**メアリが怪しいと勘付いてしまいます**。

ソーパーはメアリを探し始めますが、彼女を見つけるのは簡単なことではありませんでした。それでも6カ月後、ついにソーパー医師は、彼のお膝元《ひざもと》であるニューヨーク・マンハッタンの高級住宅街パーク・アヴェニューにあったお屋敷のキッチンで、メリケン粉をこねているメアリに出会います。

しかし、ソーパーが「**チフスの発生は、君と関係があるんだ**」とメアリに告げた瞬

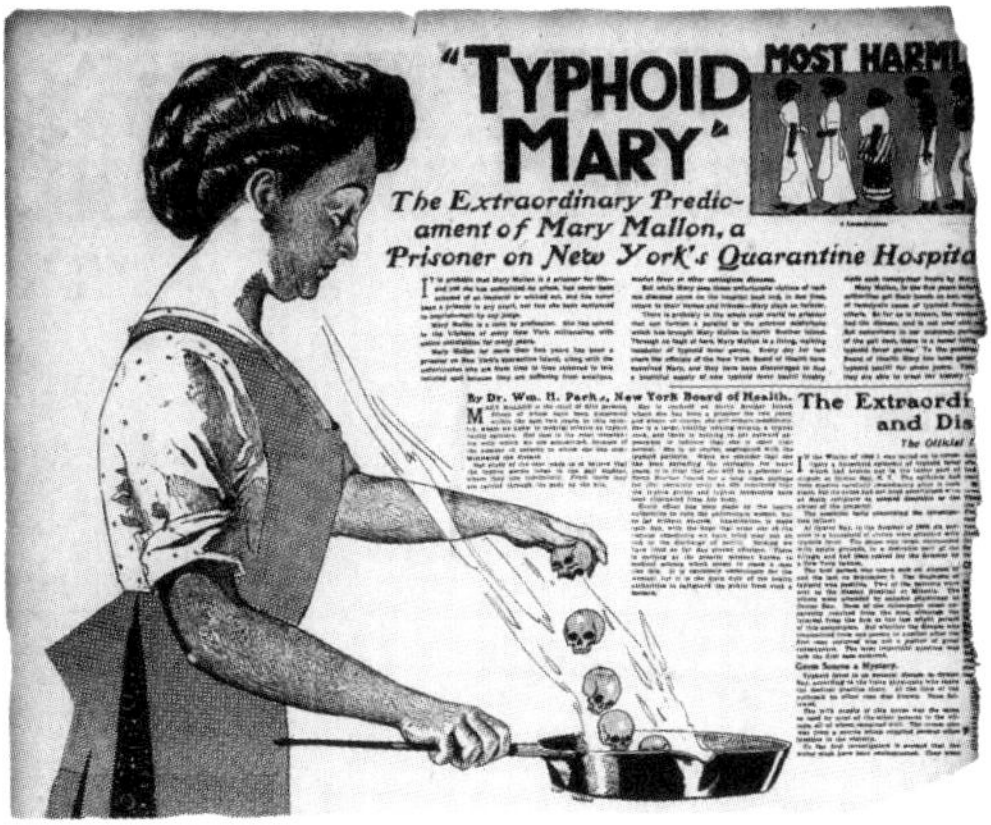

料理人メアリが割っているのは……（当時の新聞記事）

間、彼女は包丁を手に襲いかかってきたそうです。

その後は刑事ドラマのような大捕物劇《おおとりものげき》が行なわれ、ついにメアリの身柄はニューヨーク警察の手に落ちました。**新聞などのマスコミは〝格好のネタ〟を手に入れ、メアリを「魔女」として描きました。**

この時代、チフスを治療する効果的な薬剤はまだ発明されてはいません。メアリも、雇い主に感染させる可能性が高い料理女から、洗濯係に強制転職させられることになっただけでした。しかし、**彼女はこれを不満に思い、再び姿をくらませるのです。**

彼女はメアリ・ブラウン夫人という変名

を使い、料理女に執念の復帰を遂げていました。

これほどまでメアリが調理職にこだわったのは、料理が彼女の唯一の才能であり、誇りであり、生きがいであったからのようです。

ところがメアリが姿を消して5年目の1915年、彼女の周囲でチフスが再び大流行し始めます。

メアリが体内で「飼っている」腸チフス菌が非常に活発になっていたのでしょうか。彼女が勤めていたニューヨークのスローン婦人病院では、**なんと25名もの患者が発生しました。院内クラスター感染という最悪の結果です。**メアリは、ある同僚から疑われていることに勘付き、身元がバレる前に病院から逃げ出します。

●彼女が選んだ職場は「病院」だった

そんなメアリでしたが、ニューヨークのロングアイランドで働いているところをまた逮捕され、ついに刑務所の隣りにあったリヴァーサイド病院内に終身隔離されることになりました。

料理女の仕事をさせてもらうことはありませんでしたが、リヴァーサイド病院では検査係や介護職として働くようになりました。

院内にチフス菌をばらまきかねない検査係や介護職というのは、ブラックジョーク以外の何物でもありませんが……。

1938年11月、メアリはニューヨークで亡くなります。

最後まで、彼女は自分をチフスの感染源とは認めようとしませんでした。それゆえ、結局、死ぬまで病院内に隔離されたまま人生を終えてしまったのでした。認めたところで、当時の医学では、チフス菌の巣窟《そうくつ》である胆道や胆嚢を摘出する、命がけの大手術を受けさせられるだけでしたが……。

メアリの葬儀は広壮な聖ルカ教会で行なわれたそうですが、葬儀に参列したのはたった9人だったそうです。

巨人の死を待ち続けた「遺体コレクター」、ジョン・ハンター

1783年、春先のロンドン。

荒れた部屋で**チャールズ・バーン**という若者の生命がひっそり燃え尽きようとしていました。まだ22歳の若さでした。

脳腫瘍《のうしゆよう》と肺結核のせいで、日々動かなくなっていくおのれの肉体をバーンは持て余していたことでしょう。**「アイルランドの巨人」の異名を持つバーンは、「8フィート2インチ（約250センチ）」と言われるほどの巨漢**でしたから。

バーンが、ロンドンに成功を夢見てやってきたのは約1年前の4月11日のことでした。わずか1年足らずの間に、彼は栄光と没落を経験することになったのです。

バーンの身長は、新聞が書き立てたように「8フィート2インチ」ではなく、実際

には「7フィート8インチ（約230センチ）」程度だったようですが、18世紀当時のイギリスの平均的な成人男性の身長は170センチもありませんから、どう見ても「巨人」でした。

●「アダムとイブの身長は40メートル」？

ロンドンだけでなく、18世紀のヨーロッパでは「巨人」が人気でした。

ダーウィンが進化論を唱えるはるか以前、ちょうどトカゲと恐竜の関係のようなことが、人類とその祖先の間にあると信じられていたようです。

フランスのアカデミー会員で「M．アンリオン（M.Henrion）」なる人物が1718年に発表した**「アダムとイブの身長はそれぞれ40メートル前後」**との珍説は、1730年の啓蒙《けいもう》主義者たちによる、権威ある『文藝《ぶんげい》通信』にも掲載されています。**大昔は「巨人」が一般的で、時代が下るにつけ、人類は小型化してしまった**という説はかなり流布《るふ》していたようです。

18世紀の人々にとってバーンのような「巨人」は、かつての人類の栄光を今に示す

「先祖返り」的な存在で、見るだけでも「ありがたい」ものだったのかもしれません。現代医学の観点では、バーンの超高身長も脳の下垂体《かすいたい》に問題があり、それゆえの成長ホルモン異常分泌の産物に過ぎないのでしょうが……。

●面会費「2万円」で人気者に

さて、バーンはロンドン中心部のチャリング・クロスに程近い、スプリング・ガーデンズの高級アパルトマンに居を構えます。

家賃の高いアパルトマンに住むのも、地の利を狙った投資でした。アイルランドの寒村の出身だったバーンは、**おのれを「見世物」として公開し、一躍《いちやく》有名になろうとしていた**のです。

週6日、午前11時から午後3時、休憩を挟《はさ》んで午後5時から8時まで、バーンは一人2シリング6ペンス……現代の日本円で**約2万円あまりの「面会費」で、「巨人」の姿をひと目見ようと詰めかけてくる人をもてなす**のでした。

少し猫背気味ではあるけれど、彼の並外れた背丈やスタイルの良さだけが話題になったのではありません。**バーンが「紳士」であることも評判を呼びました。**大きく四角い顎《あご》、広い額といった男性として好まれた容貌、愛想よく握手してくれる大きな優しい手……実に礼儀正しく、優雅な振る舞いのバーンはロンドンっ子たちを魅了してしまったのです。

ロンドンにやってくる前にマナー講師から、レッスンを受けていたのかもしれません。「著名人」として社交界デビューも狙っていたのでしょう。

実際、有力なパトロンがつけば、身長や外見の点で並外れたものを持つ人物は、それだけで社交界のアイドルとして生きていける可能性がありました。

●短い栄光から一瞬で転げ落ちた

到着から数週間のうちにバーンは国王夫妻に謁見《えっけん》、貴族たちからも宴席に招かれ、彼が主演する舞台が人気を博すなど、滑《すべ》り出しは上々でした。

しかし、**夏が過ぎる頃には、バーンは早くもロンドンっ子たちから飽きられ始めました。**バーンの頭痛のタネは、脳下垂体の腫瘍だけでなく、自分の商売敵《しょうばいがたき》……つまり、他の「巨人」の存在もありました。次から次へと新しい「巨人」たちがロンドンに現われ、バーンから注目を奪っていくのです。

酒に溺《おぼ》れ、愚かにも現金で所持していた全財産を酒場でスリ取られ、引っ越すたびに部屋は貧素になり、見物料も下がっていきました。

●「あなたの遺体を高額で買いたい」……死体収集家の魔の手

そんなバーンを監視する目がありました。

当時のロンドンでもっとも尊敬されると同時に、もっとも忌避《きひ》されていた**狂気の天才外科医、ジョン・ハンター**です。

自身が語るには「20年で数千体」……もしくはそれ以上の数の**膨大な遺体を、ハンターは葬儀会社や墓掘り人を買収して不法に手に入れ、解剖**しつくしました。確かに、彼には18世紀においてもいまだ中世の水準にとどまっていたイギリス、ひいてはヨーロッパの医学の水準を大幅に向上させた功績がありました。

しかし、**遺体の一部を標本にして置いておく彼の「死体収集癖《へき》」**には尋常ならざるものがありました。そんなハンターにとって、「巨人」チャールズ・バーンの巨大すぎる背丈、見事な骨格は何よりも彼のコレクター魂をくすぐるものであったらしく、異様な執着を見せるようになります。

直接、**「あなたの遺体を高額で買いたい」**と取引を持ちかけたこともあったようですが、バーンはハンターを拒絶します。ハンターは無神論者でしたが、バーンは農村出身の素朴な若者であり、**自分の遺体が骨格標本などになると、「最後の審判」で魂まで救われなくなる**、と信じていたのです。

しかしハンターは諦めるどころか、彼が望めば、どんな遺体も調達してきたハウイソンという使用人を、病に倒れたバーンの部屋のすぐ近くに住まわせ、最期の時が来るのを今か、今かと待ち構えていたのでした。

●執念深い「遺体コレクター」が取った手段とは

6月1日、バーンは友人たちに囲まれて亡くなります。最期の言葉は**「絶対に自分の体をハンターには渡してくれるな」**でした。バーンはハンターが自分の体を諦めていないことを知っていたのです。自分の体は鉛の棺に入れて密封し、ハンターの手の届かない海の底に沈めてほしい、というのが彼の遺志でした。

6月5日、友人たちはロンドンから東へ117キロほど離れた港町・マーゲートから船出し、バーンの棺を海に沈めています。

いくらハンターといえども、今回ばかりは獲物を永遠に失ったと思われましたが、バーンとその友人たちの裏をかくことなど、たやすいことでした。

バーンの友人たちの大半は、彼が酒場で知り合った酒好きだらけ。何かあるたび、酒宴になってしまうのです。酔っぱらいたちが、バーンの遺体を放置して出かけたスキがチャンスでした。**葬儀屋は、棺の中の遺体を石とすり替えることに成功します。**

ハンターは、葬儀屋を買収するのに500ポンド（約600万円）の大金を払ったとされます。結局、海に沈んだのは棺と詰められた石に過ぎず、**哀れなバーンの遺体はハンターの研究室へ運び込まれました。**

普通であれば解剖実験を行なうはずですが、季節は遺体の腐敗が早い夏、しかも亡くなってから5日も経った遺体だからか、ハンターはさっそく骨格標本作りを開始します。

こうしてできあがった「巨人」の遺骨標本を、約5年もの間、ハンターは秘匿《ひとく》し続けていました。

衆人の前に展示された「変わり果てた巨人」の姿

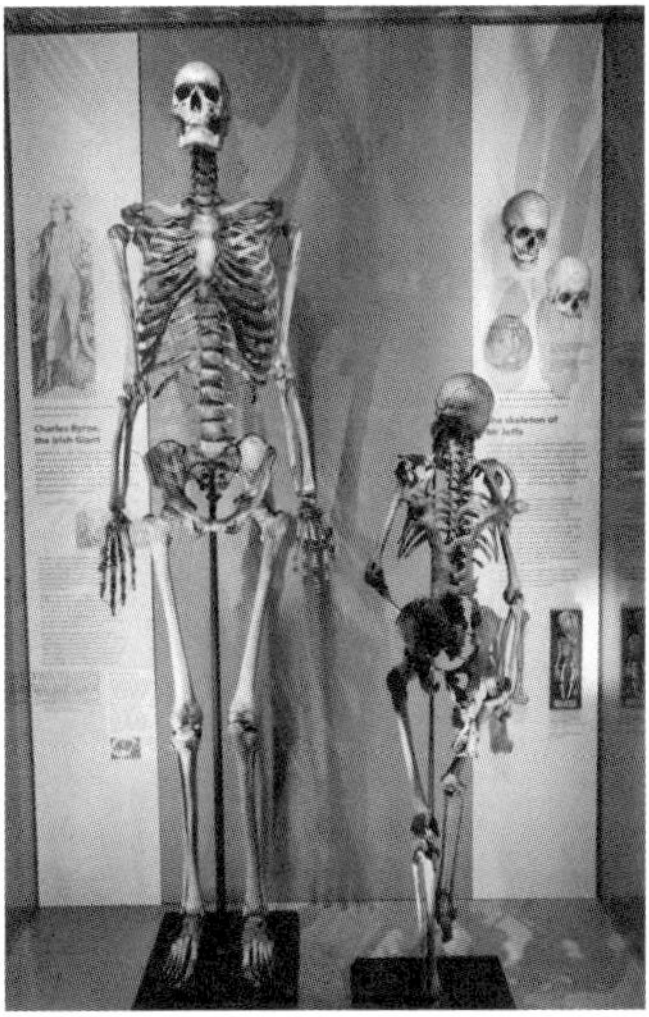

ハンターが作ったバーンの骨格標本（左）

1788年から、ハンターは膨《ふく》れ上がる人体標本のコレクションを、自宅に併設した私設博物館で公開し始めました。

社交界の人々の間では、高額の治療費を払ってハンターの患者となり、死後は自分の死因となった病巣の標本をハンターに作ってもらうのが一種の流行となっていましたが、そうした**セレブリティたちの変わり果てた姿以上に見物客の目を引いたのが、例の「巨人」バーンの骨格標本**でした。

天才外科医だったハンターは、この当時、現代の日本円にして約6000万円ほどの収入がありました。しかし、それをはるかに上回る額を遺体収集や標本作成、その維持管理に使っていたため、趣味と実益を兼ねた私設博物館の開館は彼の悲願だったといえます。

その目玉として「巨人」バーンの骨格標本が据《す》えられたのですが、**人々はその見事さに改めて驚くとともに、ハンターの異常な情熱には恐れを抱いたことでしょう……**。

ちなみにチャールズ・バーンの骨格標本を含む、ハンターのコレクションの一部は、ロンドンの王立外科医師会に受け継がれ、同団体の運営するハンタリアン博物館で現在でも目にすることができます。

世界初の輸血を行なった医師、ドニが使ったのは……

17世紀のヨーロッパは「科学革命期」として知られ、ケプラー、ガリレオ・ガリレイ、ニュートンといった天才科学者たちを生み出しました。

しかし医学はいまだに立ち遅れており、**人間の体内には血液・粘液・黄胆汁《おうたんじゅう》・黒胆汁《こくたんじゅう》という四種類の体液が流れている「四体液説」**が支持されているのでした。

人間が病気になるのは、これら体液のバランスが崩れているからで、患者は静脈をカミソリで切り開かれ、病気の原因である「悪い血液」を放出させる目的で**「瀉血《しゃけつ》」という血抜きを施されるの**です。しかし、悪い血を抜くだけでなく、**良い血を患者の体内に注ぎ込んだら、体液のバランスがもっと回復するのでは**……と考える医師が出てきたのが17世紀、ルイ14世治世下のフランスでした。

●「新鮮な血液なら動物のものを輸血してもいい」

人体への最初の輸血に踏み切った医師は、**ジャン＝バティスト・ドニ**です。ポンプ作りの職人の息子として生まれながらも、モンペリエ大学の医学部を出て医師になった彼は、階級社会の階段を登りつつありました。医学の歴史にその名を残すことを夢見るドニは**「新鮮な血液を患者に注入することができれば、患者の病はたちどころに治ってしまう」**という信念を抱くようになります。

しかし最大の問題は「人間に輸血される血液は新鮮でさえあれば、牛や羊の血で十分である」とドニが考えていたことです。

現代では、輸血は足りなくなった血液を補充する行為として認識されています。さらに安全な輸血に必要なのは、**血液型の合致**です。これらはもはや「常識」なのですが、血液型という概念が医学史に登場するのは1900年、ウィーンの病理学者ラントシュタイナーによってのこと。さらに現在のように4つの血液型をベースとする考えが定着するのは、さらに後の1927年以降のこと。つまりごく最近なのです。違う血液型の血液を輸血することはもちろん、動物の血などを人間に輸血するのは完全にアウトだという真実を、17世紀の医師ドニが知るよしもありません。

●少年の体内に注ぎ込まれた「子羊の血」

1667年6月の半ば、**動物の血を人間に輸血して、病を完治させるというドニの野望を実現させる絶好のチャンスが訪れました。**

この時、ドニは数えで25歳の若者でした。輸血は前人未到の領域でしたが、若く野心にあふれる彼にとって、この挑戦は失うよりも得るものが多いと考えた末の決断だったのでしょう。

患者の16歳の少年は2カ月も続く高熱によって、危険な状態にありました。理髪外科医がカミソリで静脈を切り裂き、血を抜く「瀉血」を20回以上も行なっていたのですが、効果は見られず、ドニが呼ばれたというわけです。

ちなみにこれらの血が飛び散る「汚れ仕事」を担当したのは医師ドニではなく、理髪外科医……つまりは床屋でした。当時は医学の世界にも厳然たる階級があり、「汚れ作業」は医師ではなく身分の低い理髪外科医が行なうのです。ドニのパートナーは、ポール・エムリという理髪外科医で、ドニの人体実験には欠かせない存在でした。

輸血の決行は朝5時でした。輸血のため、肉屋から1頭の子羊が運び込まれました。ドニは少年の腕から85ミリリットルの血を瀉血します。ドニいわく「これまで見た中でもっとも腐敗した血液」が出たそうです。

切り開かれた静脈内に細い金属の管が差し込まれました。やがて子羊の頸動脈《けいどうみゃく》が掻《か》っ切られ、そこに金属の管が差し込まれます。人間と子羊の血管から出た2本の金属管が結合されると、**勢いよく流れ出す子羊の血が、少年の血管にどくどくと流れ込んでいく**のがわかりました。

どのくらいの量が具体的に少年に輸血されたかはわかりません。しかし、ごく少量であったがゆえに少年の命は助かりました。ドニによれば、少年は輸血開始当初、震えたものの、しばらくすると彼の身体のこわばりは解けていったのだそうです。そのまま少年は眠り続け、翌朝になると生き生きとした表情で目覚めました。熱病からも解き放たれたように見えたそうです。ショック療法とでもいえるでしょうか……。

輸血は「狂気」を治せるのか？

その後も、ドニはおそらく医療費を自分で負担しながら、**2人の患者に動物の血を輸血**しました。

まずはアルコール中毒の匿名《とくめい》の肉屋の男性で、死ななかったものの、中毒が治るわけもありませんでした。次なる患者はグスタフ・ボンドというスウェーデンの貴族で、狂気の毒にも彼は**2回目の輸血後に急死**しています。おそらくボンドには、より多くの動物の血が輸血されてしまったのでしょう。

ボンドの死によって、ドニの輸血計画は頓挫《とんざ》しかけますが、貴族アンリ＝ルイ・アベール・ド・モンモールの強い後押しもあって、4人目の患者が確保されることになりました。今度の課題は、**輸血で狂気を完治させる**というものです。

患者の名はアントワーヌ・モーロワ。貴族の屋敷に従者として長年仕えていた彼は、上流階級のとある女性に熱烈な恋心を抱くも、身分の差を理由に手痛い失恋を経験し、理性が崩壊してしまいました。

ドニが見つけた時のモーロワは、ほぼ全裸でセーヌ川の土手の沼地に足を突っ込みながら歩き回り、揶揄する悪童たちに向かって大声で唸《うな》り、両腕を激しくばたつかせて威嚇《いかく》するという実に悲惨な状態にありました。

●「様々な体液」を放出して意識を手放す……

ドニの考える輸血は、こんなモーロワさえ正気に引き戻せる奇跡の医療行為です。

こうしてモーロワは捕らえられ、輸血の衝撃にも耐えられるよう、栄養を与え、静養させられることになりました。

1667年12月の寒い夜、ついに輸血が決行されます。280ミリリットルの血液がモーロワの右腕から抜き取られ、血管に金属管が差し込まれます。ついで子牛の大腿動脈《たいどうみゃく》が切開されますが、錯乱《さくらん》し、暴れるモーロワのせいで、なかなかうまくいきません。

結果的に150ミリリットルの子牛の血液だけがモーロワに流れ込みました。**微量**

ですが、それでもモーロワの視界はぐるぐると回り始め、腕や両脇に燃えるような熱を感じたそうです。

ぐったりしたモーロワを見て、ドニと助手をつとめていた理髪外科医のエムリは輸血を停止します。しかし輸血が原因でモーロワが瀕死に陥ったと彼らはまったく考えず、2度目の輸血が2日後に行なわれることになりました。

衰弱したモーロワに暴れる元気はなく、子牛の血液450ミリリットルが彼の血管に流れ込んでいきました。隙間《すきま》風《かぜ》が入る部屋だったにもかかわらず、モーロワは大量に発汗し、**腎臓が痛い、吐き気がする、窒息《ちっそく》して死んでしまう**などと叫び始めます。ドニが輸血管を外してやると、モーロワは大量に嘔吐《おうと》し、その後は「様々な体液」を放出、2時間後には気を失ってしまいました。

しかし、ここで奇跡が起きます。**翌朝、モーロワは正気を取り戻して目を覚ましたのです**。モーロワは、妻ペリーヌに向かって静かな口調で、狂気に陥って家を飛び出てからの自分について語り始めました。記憶がちゃんとあったのですね。

ドニはモーロワが「完治」したと確信しました。

しかし、ドニがモーロワの完治を幅広く世間に公表し、自分の名声を高めるための宣伝行動を始めた約2カ月後、モーロワの狂気が再発してしまいました。ドニは彼の飲酒のせいにしていますが、そもそもなぜ彼が輸血で正気に戻れたのかがわからず、今回のぶり返しの理由もよくわかりません。

●「名医」から一転「殺人医師」へ……事件の真相は

そんな中、モーロワの妻・ペリーヌはドニのもとに現われ、**準備はできているので、3度目の輸血をしてほしいと強硬に主張**します。

ドニがモーロワの家を訪れた時には、モーロワはベッドにすでに縛り付けられ、暴れていました。ドニは輸血を試みますが、モーロワの身体は痙攣《けいれん》を起こすなど、とても輸血できる状態ではありませんでした。

ドニはこの時、輸血を行なわずに帰宅したと主張しています。しかし、その翌日、モーロワが死んだという連絡が届き、ドニは未亡人になったペリーヌから輸血で夫を殺した殺人医師として訴えられることになりました。

「輸血で夫は死んだ」「あの時、輸血できていない」と両者の主張は相反したまま、法廷闘争となりましたが、審議の中で思わぬ真実が明らかになります。

モーロワの死因は、ヒ素による毒殺死でした。**モーロワの暴力に悩んだ妻のペリーヌが、夫に猛毒であるヒ素を盛り、死に追いやった**のです。

それを後押ししたのは、ドニの輸血万能説に反対の立場にあった、身分の高い医師たちでした。彼らは狂気がぶり返した夫に悩むペリーヌに接近し、**「『輸血のせいで、モーロワが死んだ』と主張するなら、お前の夫を自然な形で始末してやるし、資金もくれてやる」**などと買収したのですね。

若き医師ドニによる輸血の挑戦は、彼の野心を一時的に満足させただけで、モーロワもその妻ペリーヌも救えませんでした。

無罪放免されたドニは、その後も医師として活動していくのですが、輸血を試す機会は二度と訪れませんでした。

一時は輸血の成功を目指し、人生のすべてを賭けたドニでしたが、彼の医学への功績は輸血ではなく、止血剤《しけつざい》の発明という形で残されたのは、運命の皮肉といっても良いでしょう。

結核は「憧れの対象」？ エリートだけがかかる病

歴史の中で、**結核は〝死病〟**として長い間、扱われてきました。

結核と人類の付き合いは非常に長く、すでに古代ギリシャ時代の医師ヒポクラテスが、結核患者の特徴を「痩《や》せて青白い顔、咳《せき》や喀血《かっけつ》。頬が赤く、目だけがギラギラと光を帯びて輝いている」などと記録しています。

特効薬である抗生物質が発明されるまで、ヒポクラテスの時代から変わらず、人々は結核の恐ろしさにおびえることしかできませんでした。

それでも17世紀末年あたりから18世紀半ばにかけ、結核をめぐる事情は変わりつつありました。きっかけとなったのはヴェネツィア共和国などの事例です。

ヴェネツィア共和国など南欧の諸都市は古くからアジアとも交易を行なっていまし

たが、**貿易の荷物とともに〝病気〟までもが侵入してくる**事案が何度も起きています。これを検疫《けんえき》によって防止できないかと、貿易大国だったイタリアの人々は考え始めたのでした。

結核の法定伝染病指定が行なわれたもっとも最初の例とされるのは1699年、イタリアのルッカ共和国であり、それが1751年にはスペインにも引き継がれていったそうです。いずれも海外との交易で富を成していた文化圏の話ですね。何より**伝染病は商業にとって死活問題**ですから……。

イタリアやスペインといった南欧は、18世紀の時点ですでに商業大国であり、世界中とわたりあった結果、**蓄《たくわ》えられた知識を持つ、世界有数の防疫《ぼうえき》先進国**にもなっていたのです。

肺結核は「エリート特有の病」

しかし、イギリスやフランスといった西ヨーロッパの国々では**「なぜか」肺結核は、伝染病とは考えられず、家族性の病気、つまり特定の家族に特有の遺伝性の病である**

と考えられ続けたのです。これはヒポクラテスの説の受け売りでした。

それゆえイギリスやフランスでは肺結核の患者であろうが、まったく行動を制限されることがなく、それどころか、**肺結核はエリート特有の病としてひそかな憧《あこが》れの対象**ですらありました。今から約200年ほど前の世界では、〝同じ病気〟でも地域によってまったく違う受け取られ方をしていて、しかもそれが当たり前のことだったのです。

●ショパンを苦しめた「周囲の偏見」

「ピアノの詩人」の異名を取る**フレデリック・ショパン**（1810－1849）も、肺結核に苦しんだ一人です。肺に悪いとされる湿った冷たいフランスの冬を避けようと、ショパンはスペインのマジョルカ島に転地療養を試みました。

彼が暮らしていたフランスでは**「肺病こそが天才を発揮させるための要素である」**などと、実に無責任なことが医学書にも書かれていましたから、当初はショパンも自らの病を忌《い》み嫌ってはいなかったのかもしれません。

しかし、マジョルカ島民の冷たい反応には驚かされるものがありました。**「転地療養だかなんだか知らないけど、病気を撒き散らす迷惑なヨソモノ」**としてしか接せられないのです。

宿も馬車も提供されず、「肺病患者なんて殺してしまえ！」という声がどこかから聞こえる中、正式な結婚はしていないものの、実質的な妻だった作家のジョルジュ・サンドと身を寄せ合い、ショパンは廃屋のような古い修道院で暮らすことになりました。

音楽の専門書には、〝肺病が悪化していたショパンにとって、冬季も温暖で乾いた気候のマジョルカ島での暮らしは創作意欲をかき立て、名作が量産された〟などと書かれていますが、**避寒地で快適に暮らす中で作曲されたとはとても思えない、重苦しい旋律《せんりつ》の曲が目立つ**ように筆者には思われます。

一番有名なのは、「雨だれの前奏曲」（正式には『前奏曲集』第15曲「雨だれ」）です。

雨だれの音を聴きながらまどろんでいると、いつしか重苦しい悪夢に襲われる。雨だれの規則的なリズムが、自分を迎えにきた葬儀の行列のように夢の中では感じられ、目が覚める。あぁ、夢で良かった……というドラマティックな音楽の展開は、ショパンが当時悩まされていた、迫りくる死の恐怖を色濃く感じさせるものがあります。

「同じ病気」でも地域・文化によってまったく受け入れられ方が違うということは、21世紀の今も証明されていますね。

疫病《えきびょう》の大流行とともに人の心はおろか、社会や文化の形までもがたやすく変化してしまうという事実とあわせて考えると、われわれが歴史に学ぶべきことは多そうです。

エジプトのミイラが薬に、絵の具に……死者をもてあそんだ負の歴史

健康になりたいという、人類共通の願い。しかし、それは時として非常にグロテスクな結果を生むことがありました。

ミイラが万能薬として、エジプトから世界中に輸出されていた事実をご存知ですか？

古代エジプト社会においては、死ぬことが死後の生活のスタートとされ、その死後の生活のため、**生前の自分の姿をできる限り正確に残す必要がある**と考えられました。こうした宗教上の理由でミイラ作りは始まったといわれます。

しかし、**自分たちのミイラが生薬《しょうやく》として、世界中で大人気になる**とは、古代エジプト人はまったく想像もしなかったことでしょうね。

●「ミイラは秘薬」は真実か？

すでに13世紀頃には、エジプトの古代墓からミイラが盗み出され、薬として高値で取引される現象が記録され始めています。

当時の医師アブデル・ラティフは「農民が（アルバイトとして）ミイラを掘り出している」と記録しており、そのミイラが一体まるごと、もしくは分割され、カイロやアレクサンドリアの港からヨーロッパまで輸出されていたことがわかっています。

ミイラは、ヨーロッパで上流階級御用達《ごようたし》の高級薬となりました。

16世紀、フランス・ルネサンス時代の国王フランソワ1世は、緊急薬としてミイラの粉末を常に持ち歩いていました。**ミイラに、天然のアスファルトである「ビチュメン（東洋でいう瀝青《れきせい》）」が使われており、これが万能の薬効成分だと信じられる**ようにもなりました。現代では道路の舗《ほ》装《そう》材として知られるアスファルトを飲んだところで、薬効はとても期待できないでしょうし、そもそもミイラにビチュメンは使われていません。すべてが誤解なのです。

少年がエジプトの地で目撃した「真実」

ミイラが「頭痛、まひ、てんかん、耳痛、咽頭《いんとう》痛など様々な病気に効く」と書き残しているのは、思春期を海賊船《かいぞくせん》の外科医として過ごし、後に17世紀のフランス国王ルイ14世の御典医《ごてんい》にまで成り上がった**アンリ＝マルタン・ド・ラ・マルティニエル**。

彼こそが誤解の発信元です。

少年時代のマルティニエルは医学教育を受けないまま、フランス軍で医療関係者として働いていました。ところが、12歳の時、彼がいた連隊がスペイン軍に捕縛される事件が起き、逃亡したマルティニエルは、海賊船に医者として乗り込みます。

エジプトの倉庫でマルティニエルが見たのが、ミイラの山でした。当時の海賊は略奪行為だけで生計を立てているわけではなく、普通の商船がイヤがる荷物……たとえばエジプトのミイラなどの運搬業務も行なっていました。

しかもこのミイラは古代の墓を暴いて手に入れた「正規品」（？）ではなく、**天然痘やペストなどの流行の結果、亡くなった人たちの遺体を加工して作られた、文字通**

り**「海賊品」のミイラ**なのでした。

マルティニエルの自伝『幸福な奴隷』によると、集められた遺体の体内に「黒い粘着性の液体」を詰め込んだ後、包帯でぐるぐる巻きにして、乾燥させたもの。それが海賊品の「ミイラもどき」の正体だったそうです。

しかしそんな代物でも、エジプトから輸出すれば、「エジプトのミイラ」として高値でヨーロッパに輸出することができたというのですね。

●生きたまま「ミイラ」にされた……

1610年、ドミニコ会修道士ルイス・デ・ウレタなる人物が『エチオピア王国の歴史』という書物を残しました。

ここで彼は**エチオピアで「ミイラもどき」が作られていた**事実に触れています。

エチオピアの「ミイラもどき」の製造は、まず哀れな人間を捕らえてくるところから始まります。**犠牲者たちを飢《う》えさせては、特別な薬を与えることを何度か繰り返し、最後は寝ているうちに首を切り落とし、逆さ吊りにして、全身の血を抜く。**

その後、体内に香辛料を詰め込み、藁《わら》で包んで15日間土の中で寝かせる。そして、24時間天日干しにすると、皮膚が黒く変色する。

こうしてできた「ミイラもどき」のほうが古代の本物のミイラよりも「きれい」で、なおかつ「薬効も優れている」といわれたそうな。

おそらく、マルティニエルがエジプトで目撃した代物にも、エチオピアなどで製造された「ミイラもどき」が混ざっていたことでしょう。マルティニエルは、こうした裏の裏を知ることはなかったようですが。

●当時の恐るべき「人気ショー」の中味

医学の水準が少しずつ向上し始めた19世紀になると、さすがに薬としての需要は下火となりますが、ヨーロッパにおけるミイラ人気は衰えませんでした。

とくに考古学ブームが起きていたイギリスでのミイラ需要には、凄《すさ》まじいものがありました。

エジプトから棺ごと輸入したミイラから、包帯を引き剝《は》がしていく〝ミイラの解体

ショー〟は、「ミイラびらき」などと呼ばれ、人気を博しました（ミイラ本体より、この頃になると包帯に価値が見出され、肉や魚の包装用に使われていたとか……）。

イギリス人外科医のトーマス・ペティグリューの「ミイラびらき」はとくに人気で、彼は「ミイラのペティグリュー」というニックネームの持ち主でした。

しかしある時、彼はミイラの骨に腫瘍があることに気づき、その時ようやく「ミイラもかつて人間だった」という事実に思いを初めて巡らせたというのですから、理解に苦しみます。

●「死者の尊厳」を踏みにじった長い歴史

絵の具としてのミイラにも注目が集まりました。

画材となるべく砕かれたミイラはピンクがかった褐色で、人間を描く時、その肌の色に〝深み〟を加えることができると人気を呼びました。

ただ、画材としてのミイラに安定性はなく、暑くなると「したたり落ちる」、寒くなると「ひび割れる」、他の絵の具も変質させるなど〝副作用〟のほうが多かったと思われます。

ルネサンス時代の画家はすでにミイラの粉末を絵の具にしていましたが、絵の具がチューブに入れて販売されるようになる19世紀中盤以降、**工場でミイラの粉を主原料として作った絵の具は手軽さから一層の人気を博し、流通する**ようになります。

「ミイラ色」は**「マミー・ブラウン」**と呼ばれ、19世紀末のイギリスの美術作品では大きな存在感を発揮します。陰影に富む、渋い色彩を愛する画家の多かった「ラファエル前派」には偏愛された色でした。そのうちの一人、バーン・ジョーンズは一時期、とくにマミー・ブラウンを愛好したことで知られますが、**材料が何かを知ってしまってからは、二度とこの色を使おうとはせず、残った絵の具のチューブを庭に埋葬した**そうです。

長きにわたるミイラの消費史は、「死者の尊厳」を誰一人、考えることすらなかった時代が、これほどまでに長く続いていたという事実そのものです。考えるだけでも空恐ろしさを感じてしまいますね。

4章 誰もが「神秘の扉」を開こうとした

数学者ピタゴラスが率いた「狂気のカルト集団」

中学校の数学で学ぶ**「三平方《さんへいほう》の定理」の発明者**として、現代にその名を残す**ピタゴラス**。

三平方の定理とは「直角三角形の一番長い辺の上に乗っけた枡形の面積が他の二つの辺の上に作った二つの枡形の面積の和に等しい（寺田寅彦『ピタゴラスと豆』）」というものです。これだけ有名な定理を作っているにもかかわらず、数学者としても哲学者としても、ピタゴラスには一冊の著作もありません。

それなのに、ギリシャ最初の哲学者とさえ呼ばれるピタゴラスの人生は、伝説の数々で彩られています。

彼は、エーゲ海に浮かぶサモス島の生まれだといわれます。ここは当時、ギリシャから見て「外国」にあたる地域でした。ギリシャ人は、古くから彼ら自身を「ヘレネス（英雄の子孫）」と呼び、外国人を「バルバロイ（意味のわからない言葉を喋《しゃべ》る者たち）」として差別してきました。

それなのに、古代ローマ時代の著述家アイリアノスは、大哲学者アリストテレスの言葉として、**ピタゴラスがギリシャで「北のアポロン」と呼ばれていた**と紹介しています（『ギリシア奇談集』）。

プライドの高いギリシャ人たちが、ギリシャ哲学の祖を異邦人のピタゴラスだと認め、またギリシャの神々の中でも諸芸に秀《ひい》でたアポロン神に比するほどに、ピタゴラスを讃《たた》えているのはなぜでしょうか。

●「神の化身」のごとく崇められた男

ピタゴラスは20代を長い旅の中で過ごしたといわれます。インドやエジプトでも数学を学んだ彼は、**「世界は数で表現できる」という信念に基づいた秘教的な教団を率いる身となりました**。彼が40代の頃の話です。

教団の本拠地は、イタリア南部に位置するクロトンというギリシャの植民都市に置かれました。入信には数学の試験が必要で、教団で得た知識を外部に漏らすことは厳禁とされていました。特筆すべきは、教団内で男女は平等に扱われていたということです。

180センチ以上もある背丈、オリンピックの拳闘《けんとう》競技で優勝したこともある筋肉質の身体に白い服をまとったピタゴラスの姿は、神々しく見えたことでしょう。

実際、**ピタゴラスの言葉は信者たちにとって、神の言葉に等しいもの**でした。

狂気的な「集団の掟」

「世界は数で表現できる」というピタゴラスにとって、数とは、「有理数」に限られました。「整数や分数で表わすのが無理」な数である「無理数」ですが、**それは口に出してはならない「呪《のろ》われた数」**というのがピタゴラスの教えでした。

しかしヒッパソスという信者が、**ピタゴラスの禁じた「無理数」に公然と言及し始めると、彼はその罪を問われ、船から突き落とされて溺死《できし》した**という恐ろしい話があります。ヒッパソスはあまりに閉鎖的な教団のあり方に異を唱え、それが咎められて追放された「だけ」ともいわれていますが（メルツバッハ&ボイヤー『数学の歴史I』）。

そして、教団運営に関する「厳しすぎる戒律《かいりつ》」が、ピタゴラスの破滅を招きました。

ある時、キュロンという男が教団入会の面接試験を受けにやってきました。しかし、キュロンは暴力的な性格だと咎められ、不合格となります。

恨みを抱いた彼は、信者たちの絶対的なリーダーであるピタゴラスの不在時を狙い、クロトンにあった教団本部に火を放ったのです（イアンブリコス『ピュタゴラス伝』）。

偉大なる数学者を死に追いやったのは「豆」？

諸説あるピタゴラスの最期の中で、傑作なのは**「ピタゴラス、豆畑に死す」**というものです。

ピタゴラスは、教団と反対派の戦争が始まると、燃え上がる建物から逃げ出します。すでにかなり高齢になっていたピタゴラスですが、さすがは元・オリンピック選手、老いてもなお追っ手をまくことは十分にできたようです。

しかし、彼の行く手には広大な豆畑が広がっていました。

畑を突っ切って逃走を続ければ良いのですが、**ピタゴラス教団の掟《おきて》の一つが「豆は絶対、避けるべし」**だったので、ピタゴラスは自ら定めた教団の掟を破って逃げるより、殺されたほうがマシだと観念し、ようやく追いついた敵に首を掻っ切られて亡くなったというのです。

ピタゴラスがそこまで豆を嫌った理由は、「生殖器に似ているからダメ」「宇宙の象徴と思われるからダメ」などと謎めかしいのですが、もしかしたら彼は深刻な豆アレルギーだったのかもしれません。

意外すぎるギリシャ最初の哲学者の素顔、そして死にざまでした。

発明王エジソンが最後にエネルギーを傾けた「霊界交信機」

何をいわれても我が信じる道を突き進む……そんな猪突猛進《ちょとつもうしん》な「思い込み」が天才発明家**トーマス・アルヴァ・エジソン**の人生を切り開いたといっても過言ではないでしょう。

生涯で1093件もの特許を取得し、とくに**白熱電球、蓄音機《ちくおんき》、映画映写機といった発明は「エジソンの三大発明」**といわれ、今なお語り継がれています。

ただ、「発明王」エジソンの栄光も今日では陰《かげ》りを見せている感があります。たとえば、日本の竹の繊維《せんい》をフィラメント（電流を流して熱電子を放出する、電球の内部にある細い線）に使った白熱電球の特許をエジソンが持っているのは事実ですが、**エジソンが発光技術の祖というわけではありません**。エジソンは、19世紀始めのイギリスの化学者ハンフリー・デービーが1808年に開発したアーク灯に始まる発光体の

25番目の改良者にすぎないのです。

また、竹の繊維を使ったフィラメントも、ドイツの時計職人ハインリッヒ・ゲーベルが1859年に開発、しかしエジソンはその事実について知らず、ゲーベルも当時は特許出願しなかったので、1879年10月、エジソンが不眠不休の実験の末にようやく発明したことになっている「だけ」でした。

ただ、研究室に一たび入ると寝食を忘れ、頭の中を飛び交う無数のアイデアの実現に取り組むエジソンの姿は、世間が考える天才発明家のイメージを完璧に満たしていました。世間から注目されるだけの華が彼にはあったのです。

強引な結婚の末に待っていた悲劇

猪突猛進の努力が運良く結実したのが、エジソンの成功した発明品です。**失敗したものは……というと、成功例以外の「ほぼすべて」といえるのではないでしょうか。**

とくに私生活は恐るべき失敗の数々ばかりでした。エジソンの裏の顔です。

猪突猛進が悲惨な結果に繋がったのは、エジソンの最初の結婚でした。研究に没頭するばかりのエジソンは24歳の時、彼の研究所の従業員である16歳のメアリー・スティルウェルに猛烈な恋心を抱き、プロポーズを敢行します。

彼女の家族からは「結婚にはまだ早すぎる」と渋られたにもかかわらず、エジソンは強引に説得をし、その約2週間後にはメアリーを妻にしてしまっていました。

しかし結婚すると、憑《つ》き物が落ちたかのようにメアリーへの関心は下火となり、エジソンは家に帰ってこなくなりました。

内省的なメアリーと、猪突猛進型のエジソンの相性は良くはありませんでした。ただエジソンは当初は教育に熱心で、**3人の子供を授かると、彼らに英才教育を試みます**。自分が子供時代に熱中した時計の分解と再組み立てなどをやって見せたのですが、長女マリオン、長男トーマス・ジュニア、次男ウィリアムの誰一人として関心を示しませんでした。

エジソンの家族への興味はなくなり、自分が小学校中退という学歴の持ち主だが、発明家として成功したことを理由に子供たちの進学を無駄だと渋ります。メアリーも夫に反論できず、ストレスをつのらせたのか、29歳の若さで亡くなってしまいます。

3人の子供たちは、まともな学校教育も受けないままで成人してしまいました。すべてをエジソンの独断と偏見で奪われてしまい、同世代の子供たちと過ごして社会性を得ることもなく、彼らがその後の人生で苦労することは明らかでした。

●幸福な二度目の結婚と、不幸な見捨てられた子供たち

メアリーの死から約2年経過した1886年、**40歳のエジソンは20歳の富豪令嬢マイナ・ミラーに一目《ひとめ》惚《ぼ》れ**します。今回も女性の実家に押し掛け、熱烈なプロポーズをするのでした。

教養人のマイナは、偏《かたよ》った知識しかないエジソンを再教育し、エジソンもそれにおとなしく従いました。2人の間には1人の女の子と2人の男の子が生まれます。長女と長男が政治への道を志し、次男はエジソンの研究所で技術担当重役になるなど、彼らの子供たちはそれなりの出世を遂げています。マイナが子供たちの教育も見ていたので、エジソンの先妻メアリーの子供たちのようなことはなかったようですね。

エジソンと後妻、そしてその3人の子供たちが豪邸《ごうてい》で幸せな生活を送っている最中、

先妻メアリーの遺児たち3人は思春期にさしかかっていました。**何も学ばず、何の夢もなく、そもそも自分が何者かもよくわからない彼らの人生は悲惨でした。**

長男のトーマス・ジュニアは働き口が見つからず、エジソンに泣きついて、父親の機械工場で働き始めます。しかし「元祖ブラック企業」であったエジソンの研究所に怠惰《たいだ》な彼がなじめるわけもなく、退社後には「エジソン2世」を名乗った詐欺《さぎ》商法で世間を騒がせ、1904年にはエジソン本人から訴えられて廃業するに至りました。

エジソンはトーマス・ジュニアに自社でのトースターの開発を任せましたが、それすら彼には難しく、**何の才能もないと断言された後は父親から農場を与えられ、幽閉も同然で暮らし、60歳で自殺しています。**

次男ウィリアムは軍人を目指しますが、40歳を過ぎての除隊後は仕事が続かず、事業をしても成功せず、やはり父親に買ってもらった農場で暮らし、57歳の時にガンで亡くなりました。

長女マリオンはドイツに渡り、当地の軍人の妻となりますが、第一次世界大戦でドイツが大敗してからは結婚も破綻、アメリカに戻ってこざるをえなくなりました。

●晩年のエジソンを虜にした「霊界交信機」

こうした先妻の子供たちの窮状《きゅうじょう》を後目《しりめ》に、エジソンも想定外のピンチの中にいました。

第一次世界大戦中には自社工場で大火事を出し、その再建にかかる経費は膨大で経営がゆらぎ始めたのです。終戦した1918年の時点で彼はすでに71歳、お金になる新発明はなく、エジソンの研究所は経営難に陥りました。エジソンは社員の賃金カット、ついで大幅なリストラをもって対処しました。**愚かな経営者の典型です**。エジソンは経営者としてはもちろん、発明家としても終わった存在だと世間には思われていました。

しかしエジソンは、まだ発明家の精神を忘れていませんでした。彼は研究所ビル最上階の部屋に閉じこもり、ある研究に没頭していたのです。それが**「スピリットフォン」こと霊界交信機の発明**でした。

エジソンの名言「天才とは99パーセントの努力と1パーセントのひらめき」にも、彼のオカルト的な思考回路は表われています。実はこの格言、正確には「天才とは99パーセントの汗（パースピレーション）と1パーセントの霊感（インスピレーション）」で、**「たとえわずかでも霊感が下りてこなければ、どんな努力も無駄」というのがエジソンの本音**でした。1920年には「スピリットフォン」のプロトタイプは完成していたらしく、アメリカの雑誌『フォーブス』1920年8月7日号などに彼は登場、死者と会話できる霊界通信の実験を行なっていると高らかに宣言しています。

しかし1931年、84歳でエジソンが亡くなると、何者かの手でエジソンを虜《とりこ》にした最後の発明品「スピリットフォン」の現物はおろか設計図なども抹消され、今ではその研究の全容をたどることはできません。

いずれにせよ、今日に至るまで、エジソンの霊がわれわれに語りかけてくることもなく、**晩年の「発明王」エジソンには1パーセントはおろか、0・1パーセントの霊感すら下りてこなくなっていた**という世知辛《せちがら》い事実に気づかされるのです。

愛を求めた作家、ドストエフスキーが予言した「自らの死期」

明治以降、日本人にもっとも人気があった外国人作家の一人として、ロシアの**フョードル・ドストエフスキー**の名前が挙げられるでしょう。

ドストエフスキーの文学の本質は、**「信仰」**の問題と**「救われない人間の悲哀」**に尽きると思われます。キリスト教徒の人口比率が1パーセントほどしかなく、その信仰になじみのない日本で、なぜドストエフスキーの人気が今日まで続いているのでしょうか。

それは、人間の愚かさ、醜《みにく》さ、惨めさ……こうした人間の負《ふ》の部分から目をそらすことなく、すべて描き切ったドストエフスキーの文学には、独特の凄《すご》みがあるからです。

ドストエフスキーの実人生が、救われない人間の悲哀を体現していることも、多くの読者を集めている一因でしょう。**「酒とタバコと博打《ばくち》と女」、それらに耽溺《たんでき》した本物の破綻者だからこそ、迫ることができる人間の暗部があるだろう**ということですね。

●「片想い」ばかりだった強面の小説家

生前から、生活破綻者のイメージは常にドストエフスキーにつきまといました。史実をたどっても、ほとんどその通りと言っても良いでしょう。

しかし……「酒とタバコと博打と女」の中で、最後の一つだけが少し違いました。確かにドストエフスキーの人生には2人の妻と、何人もの愛人が現われます。といっても、**ドストエフスキーの恋愛は、片想いばかりだった**のです。

彼の写真をよく見ると、その理由がわかるかもしれません。ドストエフスキーの目は弱々しく、彼という男の頼りなさ、弱々しさ、卑屈《ひくつ》さを象徴しているようです。

彼にしつこく求婚を繰り返されても断り続けていた女性たちは、わかっていたのだと思います。**これはパートナーには向かない男だ、**と。

逆にそうした卑屈な男だったからこそ、酒やタバコや博打にまみれていったとも言えますね。

●病に伏せる人妻との秘密の恋

軍人を辞めて作家デビューしたドストエフスキーは、社会主義者のサロンに出入りしていたことを咎められ、4年間の投獄生活を送ります。解放された後、**無気力になってしまったドストエフスキーがのめり込んだのが、子持ちの人妻マリア・ドミートリエヴナへの恋でした**。

マリアは結核に侵されていて、同情ゆえの恋でした。

マリアの夫が仕事を見つけ、一家が引っ越すことになると、ドストエフスキーは非常に悲しみましたが、ほどなくしてマリアの夫が死んだと聞き、大喜びします。

ドストエフスキーは、自分の持つコネのすべてを使って、未亡人のマリアが少しでも早く年金を受け取れるように画策したり、息子を軍人にしてやったり、涙ぐましい努力をして、ようやくマリアと結婚にこぎつけます。

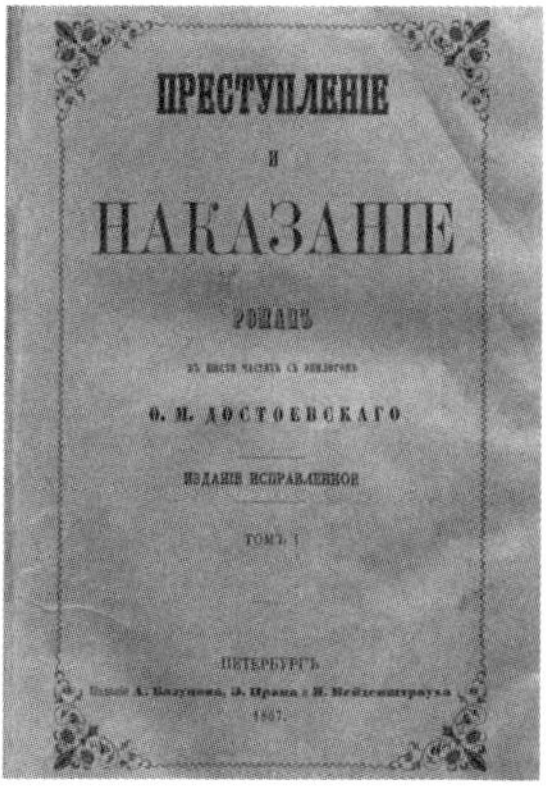

世界的名著『罪と罰』（右）を著したドストエフスキー。
その目は……

ドストエフスキーにとっては長年の恋が実った瞬間ですが、**ただ押し切られただけのマリアに彼に対する特別な感情はありません**。ですから、てんかんの発作を起こして倒れたドストエフスキーを見たとたん、すべてがイヤになって冷たい態度を取るのでした。

女を追いかけ、賭け事にとらわれ……

マリアの結核が悪化し、気持ちもようやく冷めてきたドストエフスキーは、別の若い女に入れあげます。

今度のお相手は、女学生です。アポリナ

ーリヤ・スースロワという、**ドストエフスキーが受け持っていた小説のクラスを受講する、21歳の文学少女**でした。彼女はドストエフスキーのプロポーズをハッキリ断っていますが、ドストエフスキーに「それでも」と食い下がられ、両者の関係はダラダラと続きました。

2人でヨーロッパ旅行もしています。マリアを転地療養させる手続きが長引いたため、この時、スースロワは一足先にヨーロッパに旅立ちました。しかしドストエフスキーは、彼女を追いかけながらも途上のカジノに入り浸り、大金を溶かしてしまいました。やっとパリでスースロワに追いつきますが、**「あなたは少し来るのが遅かった」**といわれ、すでに別に恋人がいることを告げられます。

女に手痛く痛めつけられ、カジノではほぼ全財産を失い、ほうほうの体でロシアに戻ったドストエフスキーを待っていたのは、**妻マリアと尊敬していた兄の危篤《きとく》の知らせでした**。

この悲惨な状況の中で構想され、書き始められたのが金持ちの老婆《ろうば》を惨殺してなんとも思わない、危険な大学生ラスコーリニコフを主人公とする『**罪と罰**』です。

●愛もなく、金もなく――「人生のどん底」に

妻と兄の死後、ドストエフスキーは兄の借金も引き受けることになります。

どん底にありながらも懲《こ》りないドストエフスキーは2人の女性に同時に言い寄ります。ですが、文学少女のアンナ・コルヴィン・クリューコフスカヤ（20歳）からはプロポーズをハッキリ断られ、もう一人のマルタ・ブラウン（年齢不詳。たぶんかなり若い）という英語の翻訳者からは、取りつくしまのない返事がきました。

悲惨な小説を書くための実体験なら一生分溜まっているドストエフスキーですが、もう何も書けない、書きたくないという状態に陥ります。

しかし1866年11月1日までに中編小説『賭博者《とばくしゃ》』を仕上げなければならないのです。不履行《ふりこう》の場合、版元から違約金を取られるどころか、その作品の著作権まで奪われるひどい契約内容でした。

●中年男の「じれったいプロポーズ」

ピンチのドストエフスキーのもとにアルバイトでやってきたのが、速記を学んでいた女学生アンナ・グリゴーリエヴナ（20歳）でした。

彼女の協力でなんとか『賭博者』は完成しました。アンナのことが好きになってしまったドストエフスキーは懲《こ》りずにプロポーズを試みます。なんと、**彼女の返事は「イエス」**でした。

ドストエフスキーからのプロポーズは『賭博者』の作業が終わる頃にありました。アンナの『回想のドストエフスキー』によると、ドストエフスキーは小説の構想なんだけど、と長々しい話を始めました。

ある病身の画家と、彼が惹かれる若くて健康な女性が出てくるらしいのですが、**「もし私がその画家で、あなたが女性だったとします。画家が妻になってほしいと頼んだら、どうしますか……」**という実に回りくどい求婚をするのでした。

めんどくさいおじさんですが、いじらしくもあります。過去の女性はそういうところがイヤだったのでしょうが、アンナは違ったようですね。**「私ならプロポーズを受ける、妻になります」**とその場で回答、ドストエフスキーは大喜びです。

婚約当時、ドストエフスキーは45歳。「借金と病気しかない中年作家なんてダメ」と家族から猛反対されたにもかかわらず、ドストエフスキーの文学のファンだったアンナの決心は固く、2人はついに結婚することになりました。

結婚式に少し遅れたアンナを、振られ癖《ぐせ》のついたドストエフスキーは真っ青な顔で迎え、**「もう離さない！」**と言いました。彼にすれば生涯で初めて両思いになった瞬間です。

アンナは実に頭がよく、行動力のある女性でした。人気があるのに貧乏なままの夫の経済状態を改善するため、取り分が多くなる自費出版に切り替えました。1873年に自費出版された『悪霊』は飛ぶように売れ、それ以降、ようやく懐《ふところ》に余裕が出てくるのでした。

●老作家は「自らの死の時」を予言した

アンナとドストエフスキーの14年間の結婚生活はおおむね幸せなものでした。てんかんで何度も倒れたり、賭け狂いになったり、年下の妻に妙な嫉妬をしたりも多々ありましたが……。

1881年2月9日、落ちたペンを拾うため本棚を動かそうとして喀血、肺血栓症を悪化させたドストエフスキーは**「今日、私は死ぬ」**と言い出し、本当に死の床についてしまいました。

最後の会話の中で、彼はアンナに**「私はいつもお前を熱烈に愛してきたし、心の中でさえ決して裏切ったりはしなかった」**といって、亡くなったそうです。

アンナによればドストエフスキーの人柄は「人間の理想」でした。**他の女性には卑屈に過ぎなかったドストエフスキーを、いじらしくてかわいいと思えるアンナ**。この人に出会えてドストエフスキーは幸せでした。作風は最後まで陰鬱《いんうつ》でしたが……。

「私をミイラにしてほしい」――功利主義者ベンサムが残した遺言

ジェレミー・ベンサム（1748‐1832）は典型的な早熟の天才で、すでに8歳の時には「私は哲学者です」と自己紹介をしていました。

明治時代以降の日本では、彼の思想が「功利主義」と訳されたため、利益優先の経済学者と思い込まれているかもしれませんが、ベンサムは「公益主義」の哲学者と呼ぶべき存在なのでした。

近年、**ベンサムは同性愛者の権利をいち早く擁護した人物**として脚光を浴びています。欧米社会では長い間、同性愛は〝宗教上のタブー〟とされてきましたが、ベンサムが生きたイギリス社会は、欧米各国の中でも（とくに男性）同性愛者への弾圧が非常に厳しく、19世紀になってもそのひどさは恐ろしいほどでした。

自分が同性愛者であると認めると、死刑となりました。疑いをかけられただけでも、首枷《くびかせ》を付けられ、路頭で見せしめの刑、つまり晒《さら》し者になっていたのです。

●スケープゴートとなった同性愛者たち

この晒し者の刑は、恐ろしいことに、ロンドンでは無料の見世物として人気を呼びました。彼らを数千人から一万人もの人々が輪になって取り囲み、リンチしても当局は黙認していたのです。

とくに残酷なリンチをするのは、市場などの下級労働者の女性や娼婦たちと決まっていました。いくら働いても報われることが少ない女性労働者たちは、自分たちの不満を、同性愛者に当たることで解消しようとしていたのです。

名目は晒し者の刑ですが、迫害を受けて失神すると首枷が締まり、窒息して死んでしまいます。しかし、そうなることこそが糾弾者《きゆうだんしや》の正義であり、喜びだったのかもしれません。

同性愛が罰せられる根拠は「聖書で禁じられている」という一点のみ。〝解釈〟の余地は大いにあるにもかかわらず、そこまで深く考えず、同性愛者というだけで厳しい弾圧を行ないたがる人々は多くいました。

そうした人々の中にこそ「人間のもっとも堕落した不品行な行ないが数え切れないほどに蔓延《はびこ》っている」とベンサムは見抜いていました。そして、**正義の味方を気取る彼らが、同性愛者に暴力をふるうことで「他からは得られない、めくるめき満足」を得ている**現実を嘆いています。

当時の人口比率からみれば、10パーセント以下だと考えられるマイノリティの同性愛者たちが、スケープゴートにされている……資本主義が根付き、格差がさらに拡大していったイギリス社会の病理をベンサムは指摘しているのでした。

●その遺言は「私をミイラにしてほしい」

ベンサムは自分の死について、非常にユニークな思想を抱いていました。

彼はキリスト教でいう復活も、霊魂の不滅も信じていませんでした。そんなベンサムだからこそ、**自分の遺体をミイラにして公開する**ことを思いついたのかもしれません。

最晩年、彼が書いていた文章はその名も『**オートアイコン（自己標本）、すなわち死んでからも生きている者に役立つ方法**』として、小冊子にまとめられていました。いわばベンサムの遺言で、これによると、彼の全身を標本にして展示してほしいという、周囲を驚かせる願いが書いてありました。

ベンサムによると「各人は自己の最良の伝記作者」であり、すべての人が、自分の人生はこういうものだったということがわかる**生涯の全データを、その人の姿がわかる絵画、彫刻などのデータと共に用意**し、それらが保管される世の中になるべきだというのです。そのうち図書館のようなオートアイコン館を建てて、すべて公開されるべきとも言っています。現代人の目にも画期的な発想だと思われますね。

その第一号として、ベンサムは自らをオートアイコン化させることを遺言したのでした。

●「胴体から切り離された首」の顚末

ベンサムが1832年6月6日に亡くなると、医学の進歩のために献体を志願した彼の遺体は解剖学者のリチャード・グレインジャーによって公開解剖されました。

その後、首と胴体が切り離され、**首はミイラ化の処理が施され、胴体は肉を削ぎ落とされて骨格標本となりました**。

遺骨は関節部分が針金で止められ、ベンサムの遺言通り、彼が着座し、思索にふけっている時の姿を思わせるポーズで固定されました。その上で、ベンサムが着ていた服が着せられました。ちゃんと下着や靴下も身につけています。

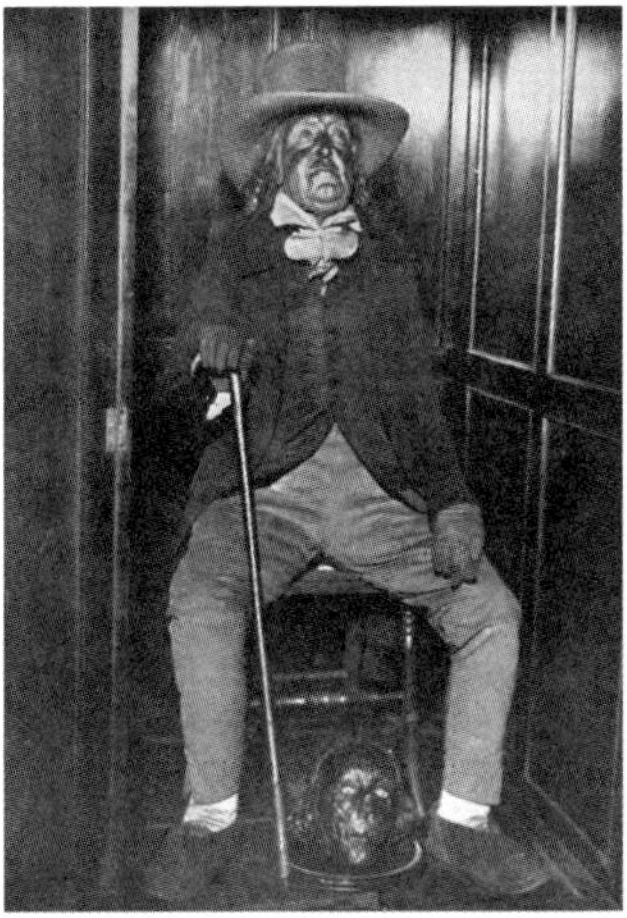

ベンサムのオートアイコン（自己標本）。足元には頭部が置かれている

さて、首から上は……というと、なぜかマオリ族の伝統的なミイラ作りの手法が使われたため、肌は真っ黒に変色してしまいました。
ベンサムが**「私がオートアイコンになった時、目に入れてもらうんだ」**といって亡くなる10年も前から持ち歩いていたガラス玉が空洞になった眼窩《がんか》に挿入されましたが……これによってさらにグロテスクな見た目になってしまいました。**ミイラ化は失敗に終わったのです**。

奇妙なのは、こうした厄介事《やっかいごと》を想定していたのか、ベンサムは彼に習ってオートアイコンを作りたい人のために**「ミイラ化は高く付く」から止めるように言い残しているこ**とですね。公益主義者であるベンサムは、自分を反面教師にしろと言いたかったのでしょうか。

困ったベンサムの支持者たちは、生前のベンサムの顔に似せた蠟細工《ろうざいく》の像をフランス人の彫刻家にわざわざ頼んで作らせました。本物のベンサムの頭ではなく、それを骨格標本の胴体に乗せることにしたのです。

サッカーボールは「ミイラの頭」？

遺言通り、標本になったベンサムの身柄を引き受けたのは、彼の弟子だったトーマス・サウスウッド・スミス医師でした。ベンサムのオートアイコンは長らくスミス医師の診察室に置かれていましたが、１８５０年、ロンドン大学に寄付されます。ところが、受け取りはしたもののロンドン大学はその処遇に困り、なかなか展示しようとしませんでした。大学側の困惑ぶりを、スミス医師は軽蔑《けいべつ》した目で見ていたとか。

本物の頭は床に置かれて展示されていたようですが、見た目の恐ろしさがやはり難となり、1948年、特別に作られた木製の箱の中に安置されるようになりました。

ミイラ化されたベンサムの頭部を、サッカーボールの代わりに蹴って遊ぶ悪い学生がしばしば現われたともいいますが、大学側によると、そういう事実はないそうです。ただ、ベンサムの頭部は、1975年10月ロンドン大学の学生によって「誘拐《ゆうかい》」されたことがあり、慈善シェルターへの10ポンドの寄付を身代金代わりとして無事、大学に戻ってきました。

ベンサムのオートアイコンはこうして遺言した通り、死後も生きている人の役に立っている……といえるかはわかりませんが、ロンドン大学で、今も見学者たちを出迎えています。生前のベンサムとロンドン大学の関係はほとんどなかったというのに、死後、ここまでの絆《きずな》が芽生えるとは実に奇妙な話ですが……。

5章

「名著」の裏に秘められた物語

我が子を孤児院送りにして書いた「教育書」で大儲けしたルソー

教育論『エミール』で一躍有名になった、思想家**ジャン＝ジャック・ルソー**。しかし、**彼が5人いた自分の子供をすべて「捨て子」にした**ことは知られていないかもしれません。

1753年までに次々と生まれた5人の子供を、彼は孤児院送りにしてしまっています。それゆえ、1762年に出版された『エミール』は、我が子を捨ててしまった後悔と、もし自分が本当に子供を育てられていたらという観点で書き上げられました。

恵まれない家庭に生まれ、犯罪者の父親に捨てられた自分自身をルソーは再教育したかったのかもしれません。

●「もう一度叩かれたい」……欲望のめざめ

スイス生まれのルソーの少年時代は不幸でした。

時計職人だった父親イザックは、フランス人大尉とケンカ中に抜刀《ばっとう》するという罪を犯した上、逃走し、家庭は崩壊しました。

ルソーは親戚の知り合いの牧師の家に身を寄せましたが、そこでは母親代わりの40代の未婚女性〝マドモワゼル・ランベルシエ〟から激しい折檻《せっかん》を受けました。

ルソーの自伝『告白』によると、10歳くらいのルソーはマドモワゼルから平手打ちの罰を日常的に受けていたのですが、その痛みと恥ずかしさの中に、**「もう一度叩かれたい」という欲求の芽生えがあった**などと書いています。叩かれるためにわざと悪さをすることもありました。つまり、**ルソーはすでに立派な変態でした**。

その一方で、マドモワゼルの櫛《くし》が欠けた事件の犯人として疑われ、激しく折檻された時には大きなショックを感じ、「不法への怒り」を煮えたぎらせるのでした。

「私には折檻されたい時もある。けれど、私の望まない折檻は許さない」という彼の気持ちはもっともです。

ただ、それまでマドモワゼルが彼を平手打ちするよう、わざわざ仕向けてきたルソーだからこそ、櫛の歯が欠けた時にまっさきに疑われ、弁解の余地もなかったわけでした。

そこに思想が至ってもいないあたり、これで思想家を名乗っていたのか、と少し驚いてしまいます。しかもルソーの『告白』は晩年にさしかかってからの作品ですからね。三つ子の魂百まで、とはよくいったものです。

●子供を麻薬づけにした恐るべき教育法

18世紀のヨーロッパの大人たちは、とくに幼児に対し、無責任もしくは厳しすぎました。

同じ頃、江戸時代の日本では、すでにたくさんの教育書が書かれ「大声を出して子供に怒鳴ったり、手をあげるのは絶対にダメ」とあるのに、ヨーロッパではまったくその逆が「しつけ」と称され、行なわれてきました。

か弱い赤ちゃんでさえ、きわめてずさんに扱われています。

18世紀頃までのヨーロッパの赤ちゃんは往々にしてエジプトのミイラのように身動きすらできないほど強く、包帯でぐるぐる巻きにされていました。むずかると、酒が入ったミルクを飲ませられるのはまだ良いほうで、そこにはアヘンが溶かされていることも……。

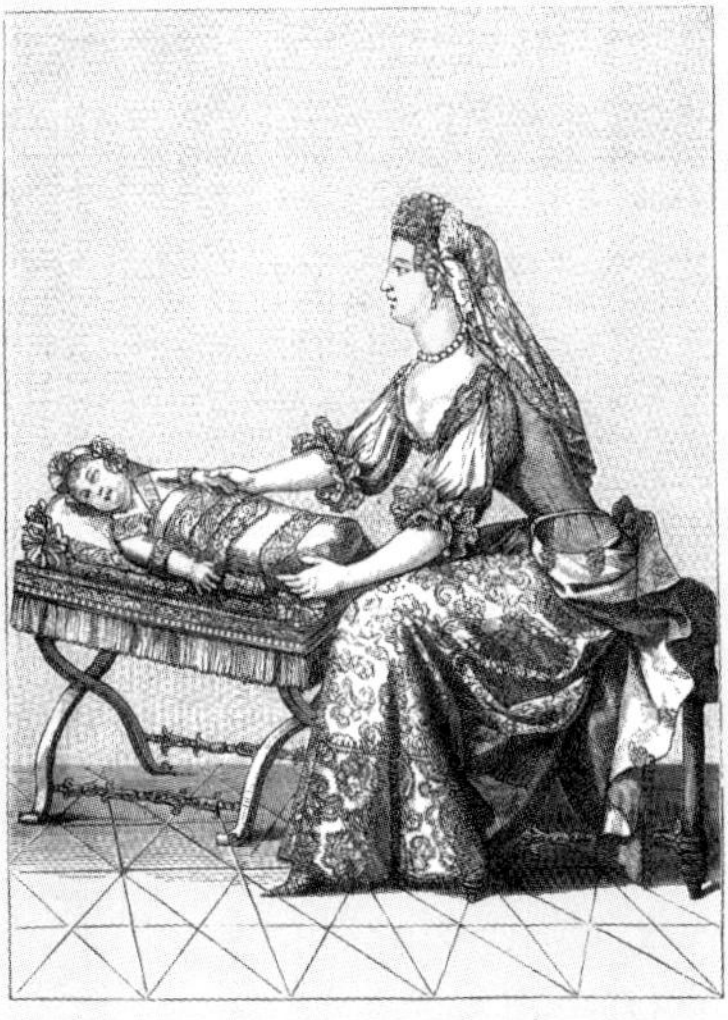

18世紀には、「子供をぐるぐる巻きにする」という恐ろしい育児が行なわれていた

乳幼児の死亡率がきわめて高かった裏の理由ともいえるでしょう。

「麻薬なんか子供に与えてはいけない」と言い出したのは、他ならぬルソーの『エミール』が最初でしたが、それまでは黙認されてきたのです。

●子をないがしろにした後悔は「決して癒やされない」

ルソーは『エミール』の中で、**「父親の義務を果たすことができない者は、父親になる権利をもたない」**と言い切ります。彼自身が実際、この父親の義務を果たせていたかは大いに疑問が残りますが……。

「貧困、仕事、世間体」などどんな理由があろうと、子供が生まれたら、その子の教育を父親が放棄することはできない。この「神聖な義務」を怠った父親は、過失を嘆き続けることになるし、**「それは決して癒やされない」**ともルソーは言っています。

「貧困、仕事、世間体」、これらすべてがルソーに子を捨てさせた原因でした。

5人連続捨て子事件も、結果的にルソーの中ではそうやって「仕方なかった」として処理されてしまったのでしょう。生きづらそうなのは同情しますが、考えれば、恐ろしいことです。

●ご婦人方の「愛玩物」だったルソー

5人の子供たちの母親、テレーズ・ルヴァスールに深い愛情がなかったことも、子を捨てた一因だったかもしれません。

テレーズは純真な女性でしたが、彼女の貧しい家族は欲深く、ルソーに寄生してきました。さらにテレーズは教養がなく、上昇志向の強いルソーは当初、結婚を渋っていました。ルソーは文字すらもほとんど読めない彼女を馬鹿にしていたのです。

テレーズが妊娠を繰り返すようになるのは1745年以降、2人が内縁関係になった後です。しかし、ルソーは妊娠中の妻テレーズを放置し、**愛人である貴族のマダムたちのヒモとして贅沢させてもらうことを好みました。**

ただ、**愛敬のある顔立ちのルソーは多くのマダムたちにとっては恋愛対象というより、暇つぶしの玩具《がんぐ》のような存在でした。**

たとえば結婚前の1736年、24歳のルソーはヴァラン夫人というマダムから可愛がられていたのですが、そこにラール夫人という別のマダムが現われ、ルソーへの好意をむきだしにしました。

するとルソーを取られると焦ったヴァラン夫人が、ルソーに肉体関係を迫り、2人は結ばれました。ルソーは初体験だったそうですが（ホントかな）、母親や姉の代わりでもあったマダムとの行為は、「近親相姦《きんしんそうかん》を犯した」ような気分になる、惨めな経験でした。

マダムとの関係は、それからしばらくして終わりました。ルソーが遠隔地の医者にかかり戻ってくると、見知らぬ青年が家の中にいたのです。**ヴァラン夫人は、平民の青年をペットのように可愛がる趣味の持ち主だった**ようですね。

そんな女性にひっかかるなんて……と思いますが、ルソーは自分を粗末《そまつ》に扱うのに慣れているから、自分を大事にしてくれない人といるほうが気楽だったのでしょう。ルソー自身の言葉を借りて言えば、**「自己愛の欠如」**です。

後にテレーズと結婚した後も、この手のマダムとの付き合いはずっと続きました。誰かと別れても、また別の誰かと同じような関係を続けるルソー。そんな彼を真剣に愛してくれていたテレーズには、自分の子供を5人も産ませては捨て子にする仕打ちです。

パッとしない生活の結果、あるいはその反省から書き上げられ、1762年に刊行された、ルソーによる育児論『エミール』は、彼の発表してきたこれまでの作品とは比類にならないくらいの反響を呼びました。同時にアンチも多数生まれ、「大炎上」も経験しています。

多才で有能だけれど、何かが決定的に足りないルソーの人生。しかし、その著作が彼以前の思想家の作品と比べても段違いに面白いのは、彼の「欠落」ゆえでしょうか。

哲学者ベーコンが命を懸けて取り組んだ「チキン冷凍実験」

ルネサンス時代のイギリスの哲学者にして科学者、さらに政治家でもあった**フランシス・ベーコン**。その肩書の多さはルネサンス時代にもてはやされた「万能人」の証《あかし》だったかもしれませんが、彼の場合、**〝器用貧乏〟を象徴するものだった**ようなところがあります。

彼の政治家もしくは役人としての人生を見るとそれがよくわかります。

ベーコンはそれなりの職を歴任しているわりには、常に金に困っている、うまみのない人生を送りました。エリザベス1世やジェームズ1世といった国王にも尽くしたわりに、良いように利用されただけでした。

1606年以降は裁判官を務めていましたが、訴訟関係者からうっかり贈り物をもらってしまったことが明るみに出てしまいます。裁判官なのに賄賂《わいろ》の罪で告発され、4日だけにせよロンドン塔に投獄された後は、もちろん免職されますし、宮廷への出仕も敵《かな》わなくなりました。政敵の陰謀に引っかかったのでしょう。

裁判官で哲学者、しかも当時すでに65歳にもなるというのに、何をしたら自分の身の上が危なくなるかまで思慮が及ばなかったのです。

●「チキンは冷凍保存できるのか?」……ささいな疑問が大ごとに

1626年3月末、ベーコンの人生はさらに残念な形で幕を閉じようとしていました。

イギリスの過去1000年間の気温グラフの中でも、17世紀のイギリスの冬は記録的な寒さで、テムズ川が毎冬ごとにまるで氷河のように凍りつきました。

裁判官をクビになってから無職のままのベーコンは、馬車に乗って、友人の医師ウィザーボーンとロンドン北部・ハイゲートヒルあたりを移動中でした。

一面に広がる雪原を窓から見ていたベーコンとウィザーボーン医師の会話は、いつしか「**この雪で肉を冷凍すれば、長期保存できるのでは?**」という議論になりました。保存できるというベーコンに対し、ウィザーボーンは懐疑的です。

そこでベーコンは馬車から飛び降り、農家に駆け込んで鶏を買いました。さっきまで生きていた鶏のハネがむしられ、首が取られ、内臓もすべて抜き出され、その体内にベーコンは雪を詰め始めます。

彼にしてみれば自分の仮説の正しさを裏付けようと、実験を始めてしまったわけですが、これが不運の始まりでした。

寒い野外での実験は想像した以上に過酷でした。**お腹を雪でいっぱいにされた鶏は袋に入れられ、雪原の中に埋められましたが、そのあたりで、すでにベーコンの様子はおかしくなっていました。**あまりの寒さに身体が冷え切り、体調を崩していたのです。

自宅に戻ることはできず、知り合いの伯爵の家に身を寄せますが、そこで提供されたベッドも凍るように寒く、肺炎になったベーコンは4月9日の早朝、知らせを受けて伯爵の家にやってきた甥《おい》の腕にしっかりと抱かれながら亡くなりました。

命をかけて行なった冷凍鶏肉の実験結果を確かめることはできぬままの死でした。

彼が加工肉の代表格であるベーコンの発案者というのは俗説ですが、**鶏肉で保存食品を作る実験をしていて体調を崩し、死んでしまったというのは真実のようです。**

それにしても、なぜ最期を看取《みと》ったのは妻ではなく、甥だったのでしょうか。

●若い妻の愛を失い、死にざまのせいで名誉も失い……

ベーコンは40代中盤になって初めて「婚活」を開始します。

若い頃から野心に燃えていたベーコンですが、努力の成果はなかなか出ず、もっと名が上がれば、妻になってくれる女性のレベルも上がるかも……と結婚を先延ばしにしてしまったから、というのが実情のようです。

初婚は1606年、45歳の時、アリス・バーナムという少女とでした。

ベーコンの友人である市会議員の娘で、正式な生年月日がわからないのですが、**彼とはおそらく30歳以上も年が離れたローティーンの少女でした。**

年の差のせいか、2人の結婚生活はうまくいかず、ベーコンは『随想集』に**「妻子**

を持つ者は運命を人質に入れた者である。妻子は（略）大事業の邪魔ものであるから」といって、独身のままでいたほうが良かったなどとグチっています。

一方、アリスはおしゃべりで気の強い女性で、ベーコンの家庭の〝小暴君〟だったようです。

ベーコンとアリスの間に子供はいませんでした。

1625年、つまりベーコンは亡くなる前年に遺書を書きました。当初はアリスに土地や家具（この当時、家具の値段は非常に高く、財産目録のリストにも書かれるくらいでした）を与えてやる予定でしたが、後にわざわざ自分の遺言に線を引いて取り消し、「無効にする」といっています。

それは決して、ベーコンが若き妻に冷淡だったからではありません。**ベーコンは、自分の使用人だったアンダーヒルという男性と、アリスが恋人の関係にあることに気づいてしまったのでしょう。**アンダーヒルとアリスは、ベーコンが亡くなってわずか3週間後に再婚したといわれています。

妻の愛を失ったため、死の床のベーコンを抱いてくれていたのは甥だったのですね。

鶏の実験に始まるベーコンの不運で奇妙な死にざまによって、彼の家庭生活の破綻までもが、イギリス中の知るところとなってしまいました。かわいそうなベーコン……。

雪原をさまよう「凍った鶏」の幽霊？

かわいそうといえば、ベーコンの思いつきの実験で犠牲になった鶏のその後を教えてくれる史料はありません。

それゆえか、鶏の話は〝飛躍〟し始め、**ベーコンが殺して埋めた鶏の霊が幽霊になって雪原を舞い飛ぶ**という目撃例が、第二次世界大戦中だけで、20件ほども相次いだそうです。

食糧難の戦争中、しかも冬だからこそ見えた幻影でしょうか。

ベーコンなら「鶏に魂などない！」と馬鹿にしそうな話ではありますが、英米圏の心霊エピソード本にはよく載っている、おなじみの怪談です。

「口は災いのもと」……イソップ童話の作者が処刑されたワケ

「アリとキリギリス」や「北風と太陽」といった寓話《ぐうわ》・童話の作者としての**イソップ**の名前を知らない人はいません。

日本ではイソップと呼ばれますが、それは英語化した彼の名前をもとにしています。**イソップは、紀元前7世紀頃に生まれた人物**で、古代ギリシャ社会では「アイソポス」と呼ばれていました。

誰もが知るイソップの知られざる素顔として、**彼はもともと奴隷で、その語りの才能ゆえに、解放された**という逸話があるのです。

イソップの名前がはじめて書物に登場するのは、古代ギリシャの歴史家ヘロドトスの『歴史（第2巻）』で、イソップは、後に伝説的な遊女となるロドピスという女性の「朋輩《ほうばい》」の奴隷だったといわれています。

ロドピスは女奴隷、イソップも奴隷で、イアドモンという主人に仕え、後に解放された2人は各地を旅して回ったようです。

それゆえ、**イソップの語って聞かせていた話は、大人向けのちょっと色っぽい内容であった**ということは容易に想像できるのでした。旅芸人の遊女一座の司会者といったところでしょうか。

●「たとえ話」の名手が語ったエピソード

イソップは「たとえ話」が非常にうまく、プレゼン上手でもありました。

もっとも早い時期にイソップの〝作品〟が文字化されたという記録は、なんと大哲学者アリストテレスの著作に引用されたエピソードです。アリストテレス『弁論術（第2巻20章）』には、イソップがたとえ話を使いながら語り聞かせた「処刑宣告された、とある政治家の延命嘆願」が記録されています。

原典の言葉を使いながら要約すると、狐が川を渡ろうとして失敗、「切岸の裂け目に押し流され」て、そこに引っかかったまま身動きができなくなってしまった。

動けなかった狐の身体には犬ダニがたかってしまっていた。そこへ通りがかったハリネズミがダニを取ってやろうとすると、狐は断って、「犬ダニが私から吸う量はあと少しだと思う。もうさんざん血は吸われたから。**それに犬ダニを取り除いても、そこに別の『飢えた奴ら』がやってきて、私の身体に残った血を吸うだけだよ**」と言ったのだそうです。

見通しが悲観的すぎる狐ですが、イソップは、**もし、この男（＝処刑宣告された政治家）を殺しても、他の貧乏な誰かが男の後釜になるだけ**、そいつが、結局は諸君の公金を使い果たしてしまうだろう、と言いたいようです。

この男は、仕事自体はできるんだから、殺さずに生かして、仕事を続けさせたほうが、別のろくでなしが後釜に座るよりマシだよ、と主張したかったのだと思います。

●「口は災いのもと」……その特技が命を奪った

それにしても、イソップは問題に首を突っ込みたがる人だったようですね。

結局、彼の人生もそうやって何らかのトラブルに巻き込まれて幕を閉じました。**イソップは処刑された**と伝えられています。

アリストテレスによれば、デルポイ神殿の聖なる器をイソップが盗もうとしたから（『政治学（第5巻）』）といいますが、真実は闇の中。この時はさすがのイソップも、得意のたとえ話で処刑判決を覆すことはできなかったようです。

一説に、**イソップのあまりに優れた話術に民衆を煽動《せんどう》しかねない危険性があることを見出した権力者によって、濡《ぬ》れ衣《ぎぬ》を着せられた上での処刑だった**とも言われています。イソップ寓話風にまとめれば、奴隷イソップはその話術によって自由を得たけれど、その話術によって死ぬことにもなった……**口は災いのもと**、という感じでしょうか。ちょっと怖いです。

本物の「イソップ物語」はどこに？

イソップの生涯の物語がこうして悲劇で終わる一方、彼の死後もその「たとえ話」は語り継がれ、いつしか「寓話」となり、別の誰かが作った寓話までもがイソップの名前のもとに集められていきました。それが古代から今日まで続く、**約２７００年以上にも及ぶイソップ寓話の歴史の始まり**でした。

しかし、読者は疑問に思うかもしれません。イソップ自身が一冊の著作も残さず、イソップの完全オリジナルといえる作品も現存しないのに、イソップ寓話として翻訳されているものは、何を底本としているのでしょうか？

これには興味深い話があります。

1世紀後半くらいには成立していた〝原本〟をもとに、4世紀～5世紀くらいに書き写された古代ギリシャ語の**「アウグスターナ稿本《こうほん》」**が、１８１２年に刊行されたのです。

この「アウグスターナ稿本」の古代ギリシャ語を、19世紀末のフランス人の研究者エミール・シャンブリが、フランス語に対訳する形で出版したのが通称「シャンブリ版」。さらにその日本語翻訳版が、われわれが読む「イソップ寓話」なのです。

一方で、子供向けにリライトされたバージョンは、様々な版に基づいているようです。そもそも「アウグスターナ稿本」が刊行される19世紀以前でも、イソップ寓話の様々な版が世界中で流通していました。

日本でも**「イソポのハボラス（＝寓話の意）」「伊曾保物語」**などとして、戦国時代にイエズス会宣教師の手で翻訳されたバージョンが読み継がれてきました。

ちなみにバージョンによる内容の相違も、イソップ寓話を読む楽しみの一つです。

一例として、「アリとキリギリス」を読み比べてみましょう。

「イソポのハボラス」で宣教師が編訳した版では、夏の間中、**遊び暮らしてしまったキリギリスに食べ物を求められたアリは小言を言ってから、ちょっとだけご飯を分けてやっている**のです。原文でいうと「散々に嘲《あざけ》り少しの食を取らせて（キリギリスを）戻した」……などとあります。

この「ハボラス」成立からしばらくした17世紀フランス、権謀術数《けんぼうじゅつすう》うずまく「太陽王」ルイ14世の宮廷を生き抜いた貴族政治家ラ・フォンテーヌが超訳した「アリとキリギリス」はもっと面白いことになっています（彼の『寓話』の冒頭第一話）。

フランス語でアリとキリギリスは両方とも女性名詞なので、この2人（？）はご婦人同士ということになっており、女の人生哲学をめぐる激論が交わされているのでした。

フランス語の原文を見ると、2人は丁寧語で、まるで貴婦人同士のような会話です。飢えたキリギリスは、アリに**「穀物を貸していただけないかしら。元利を添えてお返しいたしますわ」**と懇願《こんがん》します。

アリは**「暑い季節は何をなさっていたの？」**とキリギリスに尋ねますが、**「夜も昼もみなさまのために歌っておりましたわ。ごめんあそばせ」**という答えが返ってきます。気分を害したアリは**「歌ってらしたの？　あら素敵。それなら次は踊りでもなさったら？」**と冷たく言い返してお話は終わりです。この調子では、アリからのお恵みはなさそうですね。

すべては語られ、記憶され、そして再び語り伝えられるという口承《こうしょう》文学の形態で受け継がれてきたイソップ寓話。

現在でも新しいバージョンが世界中で生まれているのですから、**イソップは世界最長の歴史を持つ文学の作者の一人、もしくは、その一部**ともいえるかもしれません。

マルコ・ポーロの『東方見聞録』はウソ八百？

筆者が知る中で、**マルコ・ポーロの『東方見聞録《とうほうけんぶんろく》』**ほど謎めいた著作はありません。『東方見聞録』は13世紀のヴェネツィア商人マルコ・ポーロとその家族が、ヨーロッパから中央アジアの砂漠を越え、元王朝時代の中国に17年間も滞在した記録ということになっています。

しかし、実際に現物を読んだことがある人は、ほとんどいないはずです。

しかもこれは日本に限らず、世界中の傾向だそうです。**名前だけは誰でも知っているが、中身は誰も読んだことのない本**なのに、『東方見聞録』ほど有名になってしまった書物はないといえるでしょう。

その〝実情〟を知れば知るほど、マルコ・ポーロが中国には行っていないことは透けて見えてきますし、そもそもマルコ・ポーロという人が本当にいたのかさえ、よくわからなくなってくるのでした。有名になりすぎた『東方見聞録』の真実を探っていきましょう。

●時代をくだるにつれ分厚くなる「謎の本」

『東方見聞録』の原題は不明です。原稿や最初期の写本も行方不明。**各国言語に翻訳された写本の数は百数十種類を数えますが、その内容はすべて違う**のです。

後世になればなるほど、『東方見聞録』のページ数は増えていきました。

一説に数十ページほどだったオリジナルが、現代日本で「完訳」として刊行されている平凡社の文庫本は各500ページの2巻本ですから、オリジナルの部分がどこかもわからない状態になっているのです。東洋文化に知識のある匿名の編者たちが、勝手に内容に書き加えることを繰り返した結果、ページ数がどんどん増えていったと考えられていますね。

著者もマルコ・ポーロとはいえません。マルコは原案者。執筆者はルスティケロ・ダ・ピサという人物で、彼がマルコの書いたメモをベースに、質問したり、自分でも調べられるところは調べて文字数を増やしていったとも考えられています。

『東方見聞録』は、他の旅行記とは違って、移動中の感想が書かれることがほとんどないのです。これが他の書物で得た知識を「引き写しただけ」といわれる理由です。

●『東方見聞録』最大のミステリー！　消えた「万里の長城」

マルコ・ポーロが中国には近づきもしなかったことを示す理由としては、**『東方見聞録』に万里の長城がまったく出てこない**ことも挙げられます。彼の一行は、中央アジアの砂漠を抜ける陸路を使って、元帝国の領内に入ったそうです。そうすると確実に目にするのが万里の長城ですが、その記述は100種ある写本の中にまったく出てこないのでした。

ただ、これには多少、弁解の余地があるかもしれません。万里の長城は、秦の時代（紀元前221－同206）、始皇帝によって建造されたと一般的には理解されているのですが、それ以前にもプロトタイプの壁はあったし、その後も時代によって何回も作り直され、その時々で置かれている場所や、壁の総数さえ変わっています。

現代のわれわれが万里の長城として認識しているのは、秦の始皇帝が作らせた壁ではなく、その後、1500年近い後の明の時代（1368-1644）に作られた保存状態の良い部分に過ぎません。**それ以前に作られた壁は、戦もしくは厳しい気候条件などが原因で、もう残っていない、もしくは崩れかけている**のです。

そして、万里の長城を破壊、乗り越える形で元帝国のフビライ・ハンの祖先たちが中国領内に侵入した結果、中国にはモンゴル人による元王朝が打ち立てられていました。マルコ・ポーロが書かなかった理由も、**モンゴル人によって壁は崩され、彼には書くほどの価値がない残骸《ざんがい》が見えただけだったから**……かもしれません。

●日本人は「捕虜をさばいて家族との宴の料理にしている」？

マルコ・ポーロが、**女性の纏足《てんそく》について語っていない**ことも不自然といえるでしょう。纏足は漢民族の風習です。纏足している女性は「働かなくても良い」上流階級に限らず、都市労働者や農村の女性にも多く、市中でその姿を見ることも普通にありました。纏足をした女性は不安定で特徴的な歩き方なので、すぐにわかったはずです。

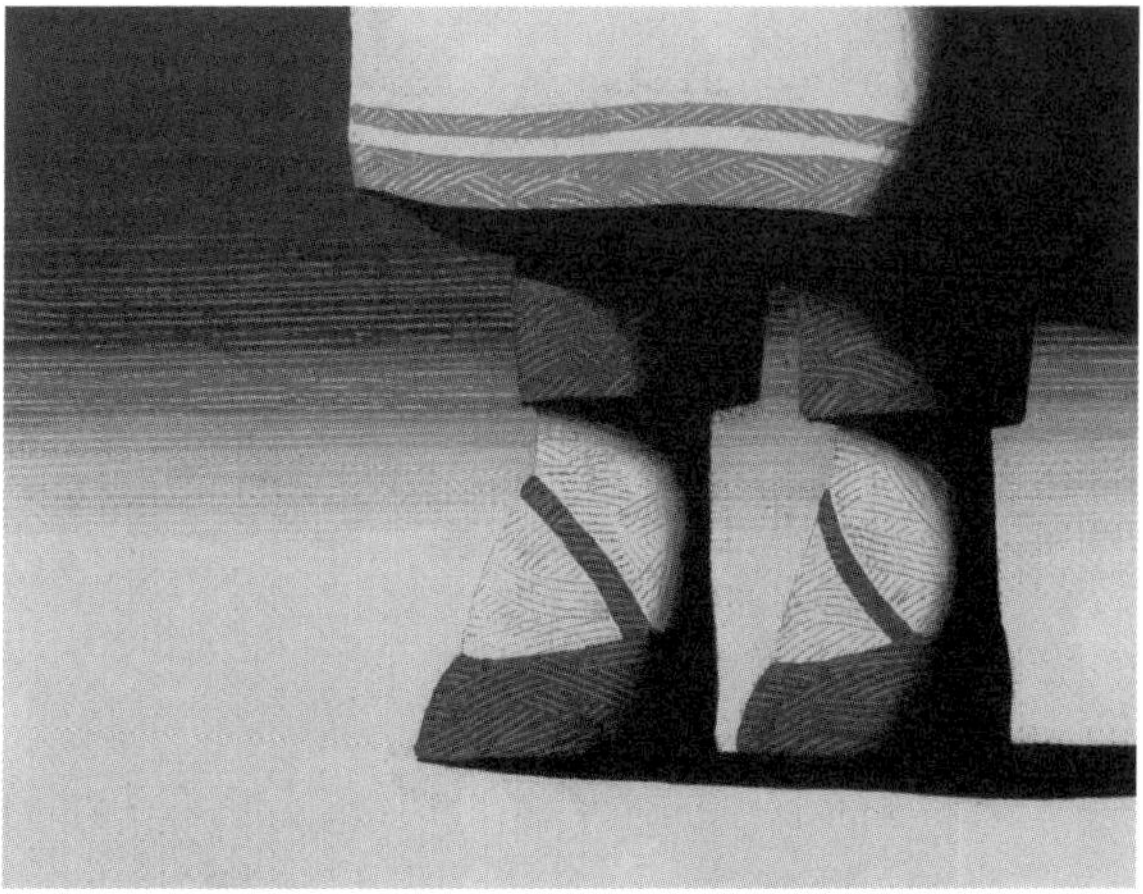

各地の奇習について興味が強かったマルコ・ポーロが、纏足を見過ごすはずがありません。

日本を**「黄金の国ヂパング」**として彼が紹介したことは有名ですが、**「住民は皮膚の色が白く礼節の正しい優雅な偶像教徒《ぐうぞうきょうと》」**という一節や、**「いたる所に黄金が見つかる」ゆえに、ヂパングの国王の「宮殿の屋根はすべて純金でふかれている」**などの好意的な記述が出てくるのは、その冒頭だけ。

後の部分では、「荒唐無稽《こうとうむけい》と悪魔の術」に貫かれた偶像教徒としての日本人を〝叩く〟部分が目立ちます。笑ってしまうのは、ヂパングの人間の奇異な風習として、**「仲間以外の人間」を捕虜《ほりょ》にした日本人が、身**

代金を支払ってもらえなかった場合、その捕虜をさばいて肉にして、友人、親戚同士で会食する時の食材にしているというくだりです。

もちろんマルコ・ポーロ自身はヂパングには行ったことがないと書いてはいるのですが、奇習に好奇心をたぎらせているタイプであることがここからわかります。やはり中国の女性の纏足を見た上で沈黙している理由は理解できません。

● マルコ・ポーロは本当に実在していたのか？

中国だけでなく、**マルコ・ポーロの本国とされるヴェネツィアにおいても、彼の生きた証をたどること自体が難しい**のでした。『東方見聞録』の序文で「マルコが26年間を外国で暮らし、1298年にジェノバで牢屋《ろうや》に入れられていた時に外国の記憶を記録した」という以外、彼についての一次史料はほぼゼロ。家族についての情報も、後世の二次史料から垣間《かいま》見える程度。

ですから、前出の**ルスティケロ・ダ・ピサが、マルコ・ポーロという架空のヴェネツィア商人を語り部として創作した……と言ったところで、何もおかしくない**のです。

マルコ・ポーロなる商人が実在したかは、歴史の謎ですが、誰かがヨーロッパから中央アジアのどこかあたりまで出かけ、商売していた時に仕入れた情報を記録、そのメモ程度の内容に大幅な肉付けが長い歴史の間で着実になされていき、もとの姿の内容がわからないほどに膨らんでしまった代物……それが『東方見聞録』の実態といえるようです。

「労働者の星」マルクスは実は大金持ちだった

社会主義の先導者として広く知られる**カール・マルクス**。社会主義との繋がりから清貧の生活を送っていたと勘違いされがちですが、実は彼は**贅沢好きのブルジョワ**でした。

1850年、共産主義者の取り締まりが強化されたドイツには、もはやマルクスの居場所はありませんでした。ヨーロッパでは唯一、その手の規制がなかったイギリス・ロンドンに移り住んだマルクスは生まれて初めて「本当の貧困」を経験します。

当初は立派な家具付きのアパルトマンを選び、貴族出身の妻のイェニーと暮らしていたマルクスですが、家賃が払えなくなると、ロンドンでも最下層の貧困地域であったソーホーの安アパートに移らざるをえなくなりました。

「この住まいには良質な家具類などはただの一つもない。どれもこれも壊れかけ、引き裂かれ、ボロがはみ出している」だけでなく、そこは家中すべてが薄汚れており、掃除《そうじ》整頓《せいとん》が行き届かぬゴミ屋敷でした。葉巻を手離せないマルクスと石炭ストーブの煙《けむり》のせいで、たった二間のアパート内の視界は前が霞《かす》むほどだったそうです。

●「贅沢好き」なのにプロレタリアに呼びかける

この時、マルクスは32歳。

生涯の盟友**フリードリヒ・エンゲルス**と連名で出した『共産党宣言（1848年）』において、「全世界のプロレタリアよ、団結せよ！」と勢いよく呼びかけていましたが、マルクス自身はプロレタリアではなく、金欠時もブルジョワ風に振る舞いたがりました。

マルクスの保護者をもって任じているエンゲルスは、マルクスの惨状を見て、彼自身が窮乏に陥りながらも金を工面してやることにしました。

しかし、マルクスは今でいうフリーライターのような書き物の仕事をして、1年に

200ポンド（1ポンド＝5万円）ほどは稼いでいたというのです。当時の世界中でもっとも物価の高いロンドンですら、これは相当な額でしたが、**金のやりくりということがマルクス夫妻にはまったくできず、あればあるだけ使ってしまうのでした。**

例のゴミ屋敷時代にも、なんと複数の使用人を使っていたというのですから、幾重《いくえ》もの意味で驚いてしまいます。

何人も生まれた子供たちにはそれぞれ家庭教師が付けられ（しかし、カビだらけの汚い家だったせいか、7人いた子供たちの中で成人できたのは3人の娘だけでしたが）、マルクス用に男性秘書まで雇われていました。

●女とギャンブルに溺れた大学生

マルクスの生涯は一貫して贅沢で安楽な生活へのこだわりと、途方も無い浪費癖によって貫かれています。その傾向はすでに大学時代に始まっていました。

カール・マルクスの父ハインリヒは優秀だったマルクスには甘く、**息子にナメられた結果、体の良いATM扱いされていました。**

父親の年間の収入が１５００ターラーの時代、大学生のマルクスが浪費した「使途不明金」の年額は７００ターラー、これは19世紀中盤のドイツの日雇い労働者の年収の７倍に相当する大金でした（１ターラー＝５０００円〜１万円の間）。

身なり全般にまったく関心がなく、若い頃からボサボサの髪やヒゲ、さらにヨレヨレの服で平気だったマルクスが何にお金をそこまで使っていたのでしょうか。

そもそも使用用途を親に堂々と申告が出来る出費でなかったから「使途不明金」なわけで、おそらく「悪所通い」……つまり**女性のいる館に行くのと、違法賭博が止められなかったからではないか**、と筆者には思われます。

●「打倒ブルジョワ」を唱えるブルジョワ

狭くてカビだらけのゴミ屋敷に暮らしながら、エンゲルスから定期的に援助を受けられるようになったマルクス夫妻ですが、親族の死によって相当額の資産が手に入ると、引っ越しを決意します。１８５６年には「テラスハウス」へ、そして１８６４年には「邸宅」へと引っ越しました。

労働者によって、ブルジョワが打ち倒される未来を寿《ことほ》ぐ共産主義者を標榜《ひょうぼう》しながら、ブルジョワとしての自意識が抜けないマルクス夫妻にとって、3人の娘たちに良縁を見つけてやるのは「義務」でした。このため、舞踏会が開ける広い居間のある邸宅への引っ越しは必須だったのです。

娘たちは令嬢として絵画とピアノと歌、フランス語とイタリア語の個人レッスンを自宅で受け、さらにどんな家庭に嫁いでも見劣《みおと》りしないよう、お嬢様学校にも通いました。しかし、お気に入りの次女ラウラは、文無しで共産主義者のポール・ラファルグと結婚したいと言い出し、マルクス夫妻を大いに落胆させました。

資産がないラファルグに結婚を諦めさせようと書いた手紙の中で、マルクスは**「私は全人生を革命闘争のために捧げてきました。そのことについて後悔はありません。まったく逆です」**などと言っていますが……これは何か悪い冗談なのでしょうか。結局、強情なラウラはラファルグと結婚してしまい、マルクスを嘆かせました。

1869年以降、**マルクスはエンゲルスから年額350ポンドもの年金を受け取れる優雅な身分を得ます**。一度に支給すると一瞬で使い果たすことを危惧され、3カ月ごとの支給となっていたことはマルクスにとってはネックでしたが……。

しかし彼の生活はもはや安楽とは言い難く、妻や娘があいついでガンで亡くなる中、自身も若い頃からの深酒とタバコの害、そして遺伝的疾患とも目《もく》される皮膚病、結核、気管支炎に苛まれます。

マルクスが肘掛《ひじか》け椅子《いす》に座ったままで死んでいるのを見つけたのは、エンゲルスでした。最後までエンゲルスに世話になる生涯でした。1883年3月14日のことです。

●人々を魅了した「赤い悪魔」

晩年になるほど、マルクスは威勢の良い、ひらめきに満ちた文章は書かなくなり、その文体は錯綜《さくそう》、読んでもよくわからない代物になっていきました。それを「翻訳」するのがエンゲルスの役目の一つでもありました。

マルクスの死後、1886年になってもエンゲルスのマルクスへの思慕《しぼ》はやまず、**「私が貢献したことは、おそらくマルクスが私抜きでも成し遂げることができただろう。しかしマルクスが成し遂げたことは、私にはできなかっただろう**（略）。マルクスは天才だった」などと言っています。

マルクスの妻イェニーも、マルクスに会った瞬間から熱烈な恋におち、「カール、あなたが私にキスをして、私を抱き寄せ、抱きしめ、私が不安と驚きで息もできなくなると、あなたはそれから私をじっと見つめ」たなどと、記しています。**マルクスは、人たらしの魔法でも使ったのでしょうか。**

無償の編集アシスタントとしてこき使われ、破産状態の中でもマルクスに貢《みつ》ぎ続けたエンゲルスですが、それはそれで幸せな人生かもしれません。エンゲルスのように自分に心酔してくれる、有能な金持ちを見つけることができたマルクスも幸せでした。

2人が幸せなので何も言うべきではないのでしょうが、カール・マルクスは他人の人生を狂わせる、赤い悪魔、恐るべきフェロモン体質の男であったことだけは確実でしょう。

6章

「見てはいけないもの」を見てしまった人々

「垢抜けない少女」だった マリー・アントワネットの魔性

フランス革命によって悲劇の王妃となった、**マリー・アントワネット。贅沢好きで有名な彼女が、実は野暮《やぼ》ったい少女だった**ことはあまり知られていません。

マリー・アントワネットの人生には何回も転機がありました。最初の転機は1770年、14歳でフランス王国に嫁いだことでした。

彼女が乗った六頭立ての豪華な馬車が、ヴェルサイユ宮殿の大理石を敷き詰めた中庭に停められ、アントワネットが車両から降りてくるのを見た賓客たちの反応は様々でした。輝くような白い肌の魅力的な笑顔の持ち主という人もいれば、後にマリー・アントワネットの髪結師《かみゆいし》として有名になるレオナール・オーティエが言ったように、**確かに彼女には「美しくなる兆候」はあるが、今は、ほっそりとしてただ若いだけ、**

とりわけ**髪型がダサい**という辛辣《しんらつ》な意見もありました。

この時、アントワネットの髪型は、フランス人のベテラン髪結師ラルスナールの手で、通称「羊の頭」というスタイルにカッチリと結い上げられ、確かに古風すぎました。アントワネットの母親で、オーストリアの実質的な女帝だったマリア・テレジアのセンスです。

フランスに嫁いできたばかりのアントワネットは、どちらかというと垢抜《あかぬ》けない少女でした。ドレスはすべて女官が選んだ服をそのまま着ているし、**日に焼けることも気にせず、野山を馬で駆けるのを好むボーイッシュさ**もありました。

●すべては「夫に愛されるため」

そんなアントワネットに第二の転機が訪れたのは、夫の皇太子（後のフランス国王ルイ16世）との不仲によってでした。結婚式は終えても、**シャイな皇太子はベッドで彼女に触れようとはせず、約3年もの年月が無為に過ぎていった**のです。

アントワネットは、パリで人気のローズ・ベルタンという、独創的ですこぶる高値のドレスで知られるデザイナーをヴェルサイユに呼び寄せました。

これは、時の国王ルイ15世の愛人にあたるデュ・バリー伯爵夫人からのアドバイスでした。信心深い家庭に育ち、不貞を憎むアントワネットは彼女をひどく嫌い、かつては口も聞きたくないというほどでしたが、**センスの良さでは自分が大幅に劣っていると認めざるをえず**、彼女のアドバイスを不承ながらも聞いた形です。

アントワネットがこれほどまでに夫の気を惹きたいと思ったのはなぜなのでしょうか。それは、「孫が見たい」と、母マリア・テレジアから手紙で言われるのに負けたというより、フランスでできたポリニャック伯爵夫人などの少し年上の女友達のように、**「自分ももっと魅力的な女性になって、愛されたい」**という願いが、18歳になっていたアントワネットを変えていったのだと思われます。


当初、「最新の帽子をもってきて」とアントワネットから言われていたベルタンですが、手ぶらで現われ、彼女をびっくりさせました。さらに驚いたことにベルタンはこう宣言しました。**「新しい流行などありません。あなた様の言葉があれば流行は作られるのです」**。

望めばどんな服でも作ってさしあげましょう、という自信にあふれたベルタンは、その場でアントワネットのお気に入りとなりました。

●「国家予算の1パーセント」をかけたワードローブ

1774年、夫・ルイ16世の国王即位によって19歳のアントワネットはフランス王妃となりました。

宮廷でもっとも高い身分の女性となったアントワネットは、**ファッションや髪型を通じ、自分のメッセージを世界に発信する**ことを覚えた、ヨーロッパで最初の王妃となりました。

世界に冠たる「ファッションの都」としてフランスのパリはその地位を確立しつつあり、パリでデザインされたドレスは、欧米の上流階級の憧れの的《まと》でした。パリからは、デザイン見本が着せられたパンドラと呼ばれる人形が各地へ運ばれ、その人形の顔のモデルがアントワネットだったというのですから、彼女の人気は恐ろしいほど高かったのです。

最大時には当時のフランスの**国家予算の1パーセント相当の巨額が、アントワネット個人の化粧代・服飾費として消えた**といいます。ただ、名実ともにフランスの顔であり、そのイメージ戦略を担当していたマリー・アントワネットのその手の出費を、広告宣伝費と考えれば、むしろ安いといえるかもしれません。

そもそも、アントワネットとルイ16世の治世のはるか以前、ルイ14世の治世末期には、フランスの国家経済の破綻は確実なものになっていました。それに当時の他のフランスの王族たちの浪費っぷりに比べれば、アントワネットの金遣いは一部で荒いところがあったものの、ルイ16世との夫婦仲が安定し、二人の子供の母となる頃にはずいぶんと落ち着いていたのですが……。

しかし、「彼女の美への欲求は際限がない」というイメージを民衆に植え付けるには、かつてのフランスの国家予算の1パーセントという数字は十分すぎたのです。

1789年、パリの民衆がバスティーユの牢獄を攻撃・占領したのを皮切りに起こったフランス革命で、アントワネットは「王室の贅沢の象徴」として大きな非難を浴びます。

身の危険を訴えるアントワネットの説得で、ルイ16世一家は国外逃亡を謀《はか》るも失敗し、幽閉《ゆうへい》されました。

「私は贅沢などしたことはない」との主張も虚《むな》しく、贅沢すぎた日々の代償として、彼女は断頭台へ登ることになります。

花の都パリの中心部にぽっかりと空いた「死体を投げ込む穴」

文化と芸術に彩られた、花の都パリ。

中でも芸術の街として知られるモンマルトルの隠れた観光名所の一つに、**カタコンブと呼ばれる地下墓地**があります。パリの「裏の顔」そのものといえるカタコンブの歴史は、18世紀末に始まりました。

当時のパリの中心部はルーヴル宮殿（現在のルーヴル美術館）界隈《かいわい》でした。近くには華やかに着飾った紳士淑女がたむろする商業施設パレ・ロワイヤルもありました。しかし、ここから直線距離で1キロもないところにはパリ最古にして最大の**イノサン墓地**が位置していました。パリのど真ん中に、**治安のすこぶる悪い巨大墓地が横たわっていた**のです。

●死体がいっぱいまで投げ込まれる「暗い穴」

6000平方メートルに及ぶイノサン墓地には、18世紀末、年間3000体ほどの遺体が埋葬されるようになります。この墓地に埋葬されるのは、貴族のようには家族墓を持つことができない庶民たちでした。

埋葬法は雑としか言いようがありません。**まず大きくて深い穴が掘られ、遺体を放り込んでは土をうっすらとかける**、という繰り返しが穴ごとに約1500人が埋葬されるまで続きました。

大量の遺体を収めてきた土壌は今や赤黒く染まり、**夏ともなれば気味悪い蒸気を立たせ、そこからは御《ぎょ》しがたい悪臭が周囲にただよう**のでした。

遺体であふれかえり、周囲の土地よりも明らかに隆起したイノサン墓地の窮状を、哲学者ヴォルテールは「イノサン墓地の死体置き場」と評しています。

事態の打開策はないまま、1779年には墓地がいっそう深く掘り下げられることになりました。掘り下げられると同時に、墓地の境界線は市街地に向かって無理やりに広げられました。墓地に隣接したランジュリー通りには庶民向けの店や賃貸住宅が立ち並び、これらの建物には、地下3階におよぶ食物保管庫が備え付けられていました。この食物保管庫とたった1枚の壁を隔てたところに死体が押し込まれることになったのです。

●死のガスをまき散らす「パリの暗部」

肥大した墓地の限界はあっけなく、1年も経たないうちに訪れました。

1779年末にランジュリー通りの賃貸住宅住人のグラヴロ氏なる男性は、地下室の扉をあけたとたん、手に持っていた灯火がかき消えたのを見て驚きました。グラヴロ氏が次に目撃したのは、傾き、亀裂を生じている地下室の壁です。**原因は累積《るいせき》した遺体の重み**でした。事態の調査を担当した役人の報告がまた恐ろしいのです。

壁をはさんでいるのに凄まじい異臭がすること。そして、その異臭の原因である**腐った死体が発するガスを吸入すると「窒息・呼吸困難・震え・貧血・目眩《めまい》」を催《もよお》すこと**。外に出ると体調は良くなったように見えるが、半日ほどすると今度は意識障害を

天井まで人骨で埋め尽くされたカタコンブ（地下墓地）

伴うほどの体調不良に苦しみ、運が悪ければ瀕死の状態にもなることなどが述べられてあります。**例のガスに触れた食べ物はその場で腐ってしまった**とか、超常現象的な記録もあります。

すべての原因が、イノサン墓地に埋葬されたあまりに多くの遺体だということは明らかでしたが、行政側の動きは例によって鈍く、墓地の遺体・遺骨の移送のための工事を始められるのはさらに先、6年後の1785年12月になってからでした。

壁を埋め尽くす膨大な遺骨

イノサン墓地の代わりに、遺体・遺骨の

行き先として指定されたのがパリのモンマルトルあたりに相当する「モンスーリ平地の地下にある旧石切り場」。これが現在に続くカタコンブの歴史の始まりです。

現在のカタコンブにはフランス革命の犠牲者の遺骨も運び込まれているため、すべてがイノサン墓地由来の遺骨というわけではありません。また、ごく一部が公開されているに過ぎませんが、積み重ねられた膨大な数の遺骨には言葉を失ってしまいます。

こうして**半年以上をかけ、2万体を超える遺骨がイノサン墓地から出土**、それらが運び込まれたモンマルトルの「旧石切り場」は、「地下墓地」と呼ばれるようになりました。

千年に及ぶ墓地としての使命を終え、更地《さらち》となった旧イノサン墓地の一部は広場に、また一部は市場となりました。しかし、一時は隆盛したそこも、現代のパリではフランス語で「中央市場」を意味する〝レ・アール〟という土地名に、その名残がある程度です。今日では市場の跡地にテナントビルが建ち、複合商業施設となっています。

かつて、ここが巨大な墓地であったという負の歴史を知る人は少ないでしょう。

宣教師たちが見た「稀代の美女」？ガラシャ夫人

明智《あけち》光秀《みつひで》の4人いた娘の中で、名前が唯一わかるのが**「細川ガラシャ」**こと、明智玉《たま》もしくは玉子《たまこ》です。

彼女が「細川ガラシャ」の名前で呼ばれ始めたのは、明治時代以降……つまり今から100年あまり前からのことに過ぎませんが、一般的ななじみのよさを考え、本稿では彼女をそう呼びましょう。

ガラシャとは「神の恩寵《おんちょう》」を意味し、彼女がキリスト教の洗礼時に授かった洗礼名です。明治以前の高貴な女性は結婚しても婚家の姓を名乗ることはなかったので、彼女が生前「細川ガラシャ」と呼ばれたことは一度もありませんでした。

●「悲劇の美女」は本当に〝美女〟だったのか？

さて、**キリスト教の信仰に殉教《じゅんきょう》して亡くなった悲劇の〝美女〟**として描かれることが多いのが、ガラシャという女性です。

戦国時代を描いた様々な創作物に頻繁に登場する人気人物ですが、美女という設定が揺らぐことはほとんどありません。しかし、**彼女の同時代人たちの証言の中で、ガラシャが美しいと述べた記録は、まったくない**ことを読者はご存知でしょうか。

夫である細川忠興《ほそかわただおき》、さらに彼女に仕えた侍女《じじょ》たちからの証言もありません。大坂の教会へ行き、そこで複数の西洋人を含むイエズス会の宣教師と面会したこともありません。その誰一人、ガラシャのことを美しいとは言っていません。

それにもかかわらず、「細川ガラシャは美女」という風説が現代日本に完全に根付いてしまっているのは、かなりの謎かもしれません。

カトリックの宣教師たちは生涯独身を貫く聖職者ですが、それでも**自分が魅力的だ**

と思った容貌の異性については、ためらいなく褒《ほ》めました。

細川家という名門の夫人ゆえに自由には教会に通えないガラシャが自分の代わりに、教会に遣《つか》わした「侍女頭」のルイザという女性のことを、グネッキ・ソルディ・オルガンティーノ神父は**「美貌《びぼう》の持ち主」**と報告しています。オルガンティーノによるとガラシャの夫である細川忠興は、ルイザにも強い関心を示していたとか。

それではガラシャはどう評価されていたかというと、ガラシャに対応した高井コスメ修道士はイエズス会の『1587年の日本年報』に彼女についての記事を書き、**「これほど理解力がある女性には会ったことがない」**と明記しました。

また、別の宣教師アントニオ・プレネスティーノは、神父セスペデスからの報告を受け、「(ガラシャ)夫人は、大変な理解力と聡明さを備えた人だった」などと記録、バチカンにも送っています。しかし、**彼女の容貌には何も触れられていないのでした。**

●死後に語り継がれる「稀代の美女」のイメージ

それでも「イエズス会の関係者によるガラシャが美女という証言があると聞いたこ

とがある」と思う読者もいるかもしれません。しかし、それはガラシャが亡くなってから18年後、1618年に生まれたジャン・クラッセの著作『日本教会史』なのでした。

「ガラシャは夫に反抗的な妻だったが、彼女があまりに美しかったので細川忠興は彼女と離婚できなかった」という、読者もどこかで読んだかもしれないストーリーを最初に書いたイエズス会関係者とは、このジャン・クラッセなのです。

クラッセのこの書物は、欧米で長く読まれ続け、日本でも明治になって翻訳紹介されました。

ちなみに**日本でガラシャの設定が美女になったのは、江戸時代中期の歴史小説『明《あけ》智軍記《ちぐんき》』（著者不明）が最初**といわれます。当時は鎖国中で、宗教関係の書物の輸入は禁止されていましたから、イエズス会関係者であるジャン・クラッセの書物に『明智軍記』が影響を受けたとは考えにくく、ガラシャ＝美人説が日本で生まれた理由はわかりません。ただ、クラッセ、『明智軍記』の著者が共に、ガラシャを美女にすることで、読者の関心を引こうとしていたことは容易に推察できます。

ヴェールの奥に隠された「ガラシャの美貌」

それならば、「悲劇の美女」としてのガラシャ像はフィクションの中の設定に過ぎず、間違いだったのでしょうか？

ガラシャについて、彼女の容貌を美しいと評した史料は確かに存在していません。しかし、同時に**彼女の容貌について触れた文書も存在しない**のです。

細川ガラシャは名門大名・細川忠興の正室です。そして当時、**身分の高い女性は外出時に自分の顔を隠しました**。「袿《うちき》」という装束《しょうぞく》を頭からかぶって、顔と身体の大半を隠してしまう「被衣《かつぎ》」。もしくは頭には「市女笠《いちめがさ》」と呼ばれる大きなサイズの笠をかぶり、その笠からは「虫垂《むしたれ》」と呼ばれるヴェールのような布を垂らし、**顔から上半身をすっぽりと覆《おお》ってしまう**場合もありました。

俗にいう**「つぼ装束（＝壺装束）」**です。身分の高い女性の姿を、不躾な人々の視線から守るためにまとわれていた、外出着ですね。

大坂にある細川家の屋敷で暮らしていた頃、ガラシャは厳しい監視の目をかいくぐり、複数の侍女たちと同じ格好で教会に向かったそうです。どんな服装をしていたかの記録まではありませんが、彼女たちが「つぼ装束」だったことは、ほぼ間違いないと思われます。

ちなみにガラシャがキリスト教の教会に行ったのは、彼女の生涯の中でたった一度、この機会だけ。初めて会う相手がいくら宣教師でも、**ガラシャたちが、その顔を直接に見せる機会はなかった**と思われます。

ガラシャの「侍女頭」ルイザだけが、「美貌の持ち主」とオルガンティーノ神父から評されるのは、ルイザの洗礼を担当したといわれるのがまさに彼で、その際に虫垂というヴェールを外したルイザの顔を間近に見る機会があったからでしょう。

しかし、ガラシャは自分より先に洗礼を受けた侍女たちのうち、清原マリアの手で、細川邸内で洗礼を受けているので、宣教師の誰にもその顔を見せることがなかったと考えられます。ゆえにイエズス会関係者の誰一人、ガラシャの容貌についてのコメントもしていない理由は、**彼らが誰一人として「ガラシャの顔を見られなかった」**、「**ガ

ラシャの顔を知らなかった」からではないかと推察できるのです。

●夫の執着から見えてくる「真の姿」

また、ガラシャの夫・細川忠興の愛し方には特徴があります。常に5人、側室を持っていたいと豪語する一方で、**気になる女性には断られてもなお執着する**傾向がありました。

オルガンティーノ神父が、「美貌」のルイザが、細川忠興から力ずくで迫られたり、側室になるようしつこく言われ、悩んでいたことを証言していること。

そして、細川忠興がもっとも強い執着を見せた女性がガラシャであることの二点を合わせて考えると、やはり、**ガラシャも「美貌の持ち主」だった**と言えるのではないでしょうか……。

男たちから権力をもぎ取った高雅な女王、クレオパトラ

愛に生き、愛に死んだ女のように語られがちなクレオパトラ7世。古代エジプト・プトレマイオス朝最後の女王です。

しかし、エジプトの女王として即位して以来、クレオパトラの最大の関心事は「自分がエジプトの女王であり続けること」に限られていました。

クレオパトラの男性の好みは一貫しています。それは自分の意のままに動かせる存在でありながらも権力を持っている男でした。

恋に溺れているように見せかけながらも、どうすれば彼らの心を一瞬で掴むことができるか……。

それを完璧に把握し、実行する術に長けていたクレオパトラの姿が歴史書には記されています。

●実の弟の妃に……十代の少女が乗りこえた試練

彼女が18歳の時、父王プトレマイオス12世が亡くなります。家族の中で戦争もすれば、結婚もする古代エジプトの王家の規定にのっとり、残された王子・王女たちの中でもっとも年長だったクレオパトラが結婚した相手は8歳年下、当時10歳の弟（後のプトレマイオス13世）でした。

クレオパトラが女王となるには血縁の共同統治者が必要で、それには弟と結婚しなくてはなりません。**クレオパトラが最初に必要とした男は、実の弟**だったのです。

紀元前51年当時、まだ10歳の弟に政治を任せることはできません。野心家の彼女にとって、政治の実権を握るためには非常に都合の良い状況でした。

しかし弟の成長は想像以上に早く、わずか数年で思春期に達した彼は、我が物顔の姉を憎々しく思うようになります。部下たちにそそのかされ、クレオパトラを幽閉し、彼女は権力を失ってしまうのですが……結婚から3年後の紀元前48年10月、彼女はエジプト王国を攻略しようとしている、**ローマの実力者・カエサルに寝返ることで、自**

分の権威を回復しました。ローマの実力者に協力することは、エジプトをローマの属国にすることですが、クレオパトラは「自分がエジプトの女王であり続けること」という条件さえ満たされていればどうでもよかったようです。

クレオパトラは、弟と配下の者たちの見張りの目をかいくぐるため、**カエサルへの献上品である絨毯《じゅうたん》に自分をくるませ、貨物に紛れ運ばれていく**という大胆な行動に出ました。

当時53歳のカエサルは、絨毯から現われた美女に驚きながらも大喜びします。もともとこの手の演出が大好きな男でした。

ローマ人の恋愛観では、女から男のもとに押しかけることは下品でタブーなのですが、ここはエジプトという異国です。派手好きなカエサルならきっと喜ぶに違いない……クレオパトラはすべてリサーチずみだったのでしょう。

カエサルの仲裁で、エジプトは姉弟共同統治に戻りましたが、弟はそれを拒否して対立の末、戦死。するとクレオパトラの異母妹が女王・アルノシエ4世として即位、エジプトの独立を守るために立ち上がりますが、その異母妹もローマ軍に敗れ、捕虜となってしまいました。

「次の男」を探す女王の貪欲な目

カエサルのおかげで邪魔な弟と妹を処分できたクレオパトラは、カエサルの子供を懐妊中でした。生まれた男の子はカエサリオンと名付けられました。カエサルはクレオパトラという女にどこか疑念があったのでしょう、**彼の後継者としてカエサリオンが指名されることはありませんでした**が、それは逆に好都合でした。

カエサルの寵愛も厚く、将来は我が子カエサリオンとの共同統治を目指していたクレオパトラの未来は安泰かと思われました。しかしカエサルが暗殺されてしまうと、クレオパトラは次なる後ろ盾を探さなくてはいけなくなります。

カエサル亡き後、ローマの実権は3人の実力者が握ることになりました。そのうちの一人、**マルクス・アントニウス**という男がエジプトにやってきます。

アントニウスとクレオパトラの面会は普通なら最悪となるべきものでした。エジプトにやってくる前、ギリシャや小アジアで戦闘していたアントニウスの敵をクレオパトラが援助していた事実がばれてしまっていたからです。

ところが、尋問の場にクレオパトラは船尾は金、オールは銀、帆は皇帝の色といわれた紫に染め上げた船に乗り、楽師には音楽をかき鳴らさせながらやってきました。そして、そのまま船から下りようとはせず、**好奇心を隠せないアントニウスらが逆にクレオパトラの船内に引き込まれ、初対面で宴会が始まりました。**

●クレオパトラが飲みほした「真珠」の正体

きらめく宝石のちりばめられた金の皿で豪華な食事が提供され、アントニウスたちはクレオパトラを尋問してやろうという気力も失せ、「こんな贅沢な宴会は、たいそう高くついただろう」などと彼女のもてなしを褒める言葉を口にします。クレオパトラは「こんな程度は私にとっては、はした金でございます」と言い切り、**「明日、さらなる豪華な宴を見せてさしあげます」**と約束しました。

翌日は確かに豪華な宴席でしたが、予想通りともいえました。しかし宴の最後に、クレオパトラは歴史に残る「ある行ない」をして見せます。それは、**恐ろしく価値の高い巨大な真珠のイヤリングの片方を飲用の酢にポトンと落とし、真珠が溶けた液体**

を一息で飲み干す、というものでした（プリニウス『博物誌』）。

科学的にいえば、人間の胃に穴が開かない酸度の酢に真珠が、それも瞬間的に溶けることはありえません。プリニウスは「質の低い真珠を必ず砕《くだ》いてから、酢に入れて溶かせ。それを乾かした粉は痛風の薬になる」とも書いています。「必ず砕く」とわざわざ書いているということは、そのまま普通の酢に入れたところで真珠は溶けないとプリニウス自身が認めているのですね。

しかし、クレオパトラの真珠のエピソードは、いかに博識家のプリニウスとはいえ、簡単に思い付けるたぐいのものではありません。伝説に尾ひれがついていることは間違いないでしょうが、これは作り話ではなく、本当にあったことではないかと筆者は思うのです。

では、クレオパトラが酢に一瞬で溶かしたものは……? **それは本物の真珠ではなく、巨大な砂糖の粒ではなかったでしょうか。**

すでにこの頃、インドでは砂糖の栽培が始まっていました。そもそもインドからエジプトに砂糖をもたらしたのは、クレオパトラの先祖プトレマイオス1世です。

エジプト王家でも料理の甘味として普段使われるのは、蜂蜜《はちみつ》や果物が多かったようですが、クレオパトラはここぞとばかりに砂糖を使って、真珠に似せたネックレスを作らせたのではないでしょうか。時刻は夜遅く、クレオパトラが真珠と言い張れば、酒も飲んだ人々の目には白い砂糖の粒も真珠と等しく輝いて見えたはずです。

まさに客人の度肝を抜く豪胆ぶりを、クレオパトラは主催する宴会で見せたのでした。

●最期まで「誇り高き女王」であった

この行ないによって、**クレオパトラは裏切り行為を責められるどころか、敵だったはずのアントニウスを誑《たら》し込むことに成功しました。**

クレオパトラのこうした才智の方面は歴史が下るごとに忘れ去られ、ルネサンス時代のイタリアの作家ボッカチオは「クレオパトラには美しさしか有名なところはなかった」と言い切っていますが、実際は、**女性としての美しさよりも頭脳の回転の速さが伝説的な女性だった**と筆者には思われます。

しかし……クレオパトラが思った以上に、アントニウスの心は蕩《とろ》けてしまっていたようです。ローマに軍勢を率いて帰ろうともしなくなったアントニウスは、クレオパトラにとっては好都合でしたが、アントニウスを腑抜《ふぬ》けにしたクレオパトラを敵とみなし、ローマ本国が兵を送り込んできたのは想定外だったでしょう。

クレオパトラとの甘い生活に心身ともに耽溺したアントニウスは、冷徹なオクタヴィアヌス（カエサルの養子）の敵ではなく、クレオパトラとアントニウスの共同軍は、いとも容易くローマ軍の前に敗れてしまいました。

生涯を通じて、エジプト女王であることにこだわったクレオパトラは、敗北を前に自死したアントニウスの後を追うように、**女王の身でいられるうちに自死を遂げました**。彼女が眠るように亡くなったという侍女の発言から、伝説でいうコブラの毒ではなく、催眠性《さいみんせい》の毒を飲んだといわれています。

甘美なる砂糖の歴史に隠された「腕を切り落とされた奴隷たち」

17世紀後半からの約100年の間、ヨーロッパの国々は豊かになる一方でした。その陰にあったのが**砂糖と奴隷**の存在です。

ヨーロッパの人々は白い上砂糖をより安い価格で欲し、そのニーズを賄《まかな》うためには奴隷が必要でした。奴隷たちの犠牲のもとに、非常に高価で、上流階級の独占物だった砂糖の値段は下落、料理やお菓子のレシピも豊かになったというわけですね。

それでも**砂糖は「同じ重さの金銀と交換される」**といわれるほどに高価でした。

16世紀~17世紀、英国女王エリザベス1世の治世の相場を見てみましょう。当時、砂糖は1ポンド＝20シリングでした（Fumita Ojima〝Money in Shakespeare〟）。

実際は金に比べるとかなり安いのですが、それでも**砂糖50グラム弱で金1グラムに**

相当しますから、現代日本の貨幣価値で、砂糖大さじ3杯と、小さじ1杯が7000円強、という計算となります。砂糖50グラムといえば、甘さ控えめのプリンが4つくらい作れる程度でしょうか。

手作りプリン4つが、それなりのパティスリーのホールケーキ2個分くらいの価格になるのですから、「同じ重さの金銀と交換される」とまでは言えなくても、砂糖を使ったお菓子、料理はかなりの高級品だったということはわかります。

● 庶民の食卓に砂糖が登場する

エリザベス1世のように甘味が好きすぎて、歯が真っ黒、つまり虫歯だらけになってしまうというのは、本当の意味で「贅沢病」でした。

庶民が甘いものが欲しい時は、古代ギリシャ・ローマ時代と同様に蜂蜜や、野菜の「てんさい」などから精製した糖を甘味として、ほそぼそと用いているに過ぎませんでしたから。

しかし17世紀後半から、イギリスやフランスといった多くの植民地を有する国々……それも赤道周辺の南国に多くの土地を植民地として有していた国々では、その恵まれた気候を利用し、サトウキビのプランテーション栽培を始めさせたのでした。

18世紀になると、砂糖の価格は100年前の3分の1以下に下落したといわれます。それでも高価であることは間違いありませんが、庶民の食生活には少し甘みが増しました。

甘いものには中毒性がありますから、砂糖の消費量は増えるばかりで、**商人の中には国王を凌《しの》ぐほどの経済力を持ち、贅沢な暮らしをする者も出てきました。ですが、こうした豊かな暮らしは奴隷の労働あってのものでした。**

●過酷な奴隷船の状況

砂糖作りに駆り出された奴隷たちは、多くがアフリカから連れてこられています。哀れな奴隷たちは、決して自ら望んで故郷を出たわけではありませんでした。

アフリカの国々には、イギリス・フランスから宝石や武器など、当地の権力者を喜ばせる品物が持ち込まれ、それらと戦争で得た捕虜、つまりアフリカ人奴隷たちが交換されたのです。

捕らえられた捕虜たちは、港町まで連行され、そこで奴隷船に詰め込まれました。平均的な奴隷船（320トンの中型船舶）でだいたい450人あまりもの奴隷が運ばれました。

アフリカから西インド諸島に送られる奴隷たちに与えられるスペースは**成人男性は長さ1・8メートル、高さ78センチ、幅40センチ**。横になってじっとしていることしかできません。女性や子供はもう少し小さい区域で、船底の木床に鎖《くさり》で拘束されました。定員オーバーになることも珍しくはありませんでした。

奴隷たちは二人一組で手枷《てかせ》と足枷をかけられ、身動きさえ困難です。食事は与えられましたが、**翌朝になると隣の人が死んでいるということも多々ありました。**

当然ながら衛生状態もきわめて悪く、短くて3カ月、長くて1年近くもかかる航海期間中にはしばしば疫病が発生し、標準で20～30パーセント、ヘタすれば半分以上もの奴隷が死亡したと思われます。

●「仲間の腕をオノで切り落とす」という恐ろしい仕事

目的地に着いた時にかろうじて生きていても、そこからさらなる地獄が待ち受けていました。砂糖作りです。

奴隷による砂糖製造が盛んに行なわれていた西インド諸島の仕事の中で、**「砂糖生産ほど骨の折れるものはほかになかった」**といわれています。砂糖作りには、生育に1年半もかかるサトウキビの世話、そして伐採《ばっさい》、搾汁《さくじゅう》、煮詰め、できた砂糖の袋詰めなどの厄介な工程が多々ありましたからね。

サトウキビは切り取ったとたんに劣化が始まるので、搾汁機にかけて一刻も早く汁をしぼりとらねばなりません。しかし、搾汁機は安全性ゼロで、作業はものすごいスピードで回るローラーに手指を挟む危険と常に隣り合わせでした。

なお恐ろしいことに、**もし手指を挟んでしまった場合も救護活動は行なわれず、作業を滞《とどこお》りなく進めるため、備え付けのオノで腕ごと切り落とされました。**腕を即座に切り落とす——こんな辛い仕事も、身体が不自由になってまともに動けなくなった奴隷がさせられている機械監視役の仕事だったようです。

平均的な製糖工場では25人ほどの男女の奴隷が一日中働かされ、2、3日おきに徹夜の業務を課されました。

1週間のうち、砂糖作りの仕事が休みになるのは「土曜の夜から月曜の朝」までだけ。無慈悲な環境に奴隷たちは耐え切れず、バタバタと倒れて死んでいくのです。

砂糖よりも安かった奴隷たちの命

西インド諸島にあるバルバドス島に18世紀後半の1年に運ばれてくる奴隷の数は平均4400人程度。記録では1764年から1771年までの8年間で35000人ほどの奴隷が輸入されたのですが、奴隷人口は3400人増えただけ。

つまり8年間で30000人あまりの奴隷が当地で死亡したという計算です。

これもバルバドス島の記録ですが、**奴隷は育てるよりも買ったほうが安い「使い捨て商品」**に過ぎず、砂糖1トン分の価格（時価）で買われました。

奴隷一人あたりの年間の砂糖生産量は100キロ程度。砂糖1トンを作るのに10年かかると考えると、**砂糖プランテーションに買われた奴隷の寿命は10年もあれば御《おん》の字《じ》だった**という計算です。

奴隷たちは西インド諸島だけでなく、アメリカ合衆国やブラジルなど世界各地に輸出されました。

奴隷に頼り切った経営は、技術革新の停滞を生むことがわかり、もちろん人道的な観点からも廃止されていくべき運命にありましたが、それは19世紀後半になってからの話でした。多くの貴重な人命が、砂糖などの作物の価格安定のために失われていったのです。

白人と黒人、ただ外見が違うというだけなのに、人間はどれほどまでに「他者」に残酷になれるものなのでしょうか。甘い話の裏側に潜むのは、歴史の闇でした。

ナポレオンの妻、ジョゼフィーヌのたぐいまれな「美への執着」

コルシカ島の貧乏貴族の出身でありながら、フランス皇帝にまで成り上がった**ナポレオン**と、その**妻・ジョゼフィーヌ**の関係は微妙なものでした。

彼がジョゼフィーヌと結婚したのは1796年のことです。彼らの結婚契約書には新郎新婦ともに28歳とありますが、実際のジョゼフィーヌは32歳、ナポレオンは26歳でした。年齢操作もそうですが、「夫は妻に終生年金を与えねばならない」などの契約項目があり、結婚当初はジョゼフィーヌの立場が圧倒的に上だったようです。

ところが、ナポレオンの出世によって、2人のパワーバランスは変化していきました。いつしか**6歳年下の夫の好みを満たすことが、ジョゼフィーヌの義務となった**のです。

すべてを「夫のため」にこなす毎日

夫に自分の生活を合わせ、遅く寝た日もジョゼフィーヌの朝は9時すぎには始まります。まずはベッドで煎茶《せんちゃ》かレモネードを飲んでから、銀の入浴用具を使ったバスタイムです。

その後はメイクの時間。化粧師は置かず、自ら考案した若く見える化粧法を、3時間もかけて顔や首筋に施していくのでした。このおかげで**40歳を超えてもなお、ジョゼフィーヌは20代に見えた**といいます。

化粧が終わると、衣装部屋を埋め尽くしているドレスから、とりあえず一着選び、それに身を包みます。1809年の記録によると、ジョゼフィーヌのドレスは夏用が約200枚、冬用が約700枚。靴も数百足ほど揃えていたとあります。増える一方なので、これらの衣服は1年に二度、侍女や召使《めしつか》いにプレゼントされるのでした。一度も着ないままの服もたくさんありました。

当然ながら、服も化粧も、ナポレオンの好みを強く反映したものです。**背の低いナ**

ポレオンのためでしょうか、ジョゼフィーヌの靴の大半は低いヒールのものでした。

●ナポレオンは「頬紅がお好き」？

また、ジョゼフィーヌは頬紅《ほおべに》をいつでも濃いめに塗りました。

ある時、**ジョゼフィーヌが頬紅を濃くしてみたところ、ナポレオンが大いに喜び、宮廷中の女性に頬紅の使用を勧めてまわった**ことさえあったからです。

「英雄色を好む」というような話が、ナポレオンには多くありました。

宮廷中にジョゼフィーヌにとってはライバルといえる女性がいるのです。

普段は鷹揚《おうよう》に構えているジョゼフィーヌも自分の侍女デュシャテル夫人と、ナポレオンが妙に仲良くなるのには苛立《いらだ》ちを隠せません。**ナポレオンとの関係の深さは、その女性の頬紅の濃さでまるわかり**でしたからね。

デュシャテル夫人は、彼女の夫と離婚してナポレオンの皇后の座を狙っていました。

その野心にナポレオンが呆《あき》れて関係を終了するまでは、ジョゼフィーヌとデュシャテル夫人は争うように、頬紅をいっそう濃く塗りたくっていったのだとか。

莫大な資産と権力を持つ夫から望まれるのは、「常に美しくあること」だけ……そんな妻の生活は傍目《はため》には豪華で贅沢です。

しかし、夫の趣味に合わせてせっせと肌を磨き、化粧をするだけのジョゼフィーヌの日々は、自分らしさを少しずつ失っていく、時に真綿で締め付けられるような息苦しさを感じるものだったのではないでしょうか。

流行を追った代償は――櫛とともに燃えた女たち

櫛は人類最古の美容道具だといわれています。
女性の美しさを象徴する要素が、艶《つや》やかな長い髪だった時代は長く、それゆえ、櫛は女性の暮らしと共にあり続けました。

後に櫛は髪飾りとしても人気になります。19世紀前半からは、欧米社交界のマダムたちの間では、長い髪をアップにしてまとめ、豪華な櫛を飾るヘアスタイルが大流行しました。ベッコウを素材として宝石、パールをちりばめた櫛は、上流社会での結婚祝いの定番品です。
櫛を髪飾りにすることは、「私は既婚女性です」という周囲へのサインにもなったのですね。

しかしベッコウは亀の甲羅《こうら》が原料です。人気が出るほどに価格は上がって3倍にもなり、動物虐待《ぎゃくたい》を避ける観点からも代替品が求められるようになりました。

●お洒落は「危険と隣り合わせ」

こうして、開発されたのが**セルロイド櫛**です。ニトロセルロース（硝化綿《しょうかめん》）と樟脳《しょうのう》を主原料とする合成樹脂セルロイドはプラスチックの一種ですから、加工しやすく、安価なので大人気となりました。

1860年代の発売からわずか10年ほどで、庶民向けのさらに安価なタイプのセルロイドの櫛が売られるようになったのですが、これは非常に危険な代物でした。見た目は高級なセルロイド櫛とあまり変わらないのですが、安物は素材の安定性が低くて、熱に弱すぎるのです。安いセルロイド櫛を髪に飾り、暖炉の傍《そば》に1時間ほどいるだけで、**櫛が発火、女性の頭が燃え上がる**事件が相次ぎました。

暖炉の手入れをしようと女性がひざまずいた瞬間、櫛に引火、爆発する物騒なケースまであったといいます。

美しいけれど、死の危険を秘めていたセルロイド櫛。それでも恐ろしいことに人気は衰えませんでした。

しかし時代は移り、20世紀初頭、モダンな女性たちの間でショート・ボブの髪型が流行《はや》り始めると、髪飾りとしてのセルロイド櫛の人気はとたんに凋落《ちょうらく》。見向きもされなくなったのです。

【参考文献】

『偉人たちのあんまりな死に方：ツタンカーメンからアインシュタインまで』ジョージア・ブラッグ、『解剖医ジョン・ハンターの数奇な生涯』ウェンディ・ムーア、『輸血医ドニの人体実験　科学革命期の研究競争とある殺人事件の謎』ホリー・タッカー（以上、河出書房新社）／『スミス・マルクス・ケインズ：よみがえる危機の処方箋』ウルリケ・ヘルマン、『ヒトラーのモデルはアメリカだった：法システムによる「純血の追求」』ジェイムズ・Q・ウィットマン、『回想のドストエフスキー　1〜2』アンナ・グリゴーリエヴナ・ドストエフスカヤ（以上、みすず書房）／『ヘーゲル：理性と現実』中埜肇、『イソップ寓話　その伝承と変容』〈中公新書〉小堀桂一郎（以上、中央公論社）／『聖なる王権ブルボン家』（講談社選書メチエ）長谷川輝夫、『ナポレオンが選んだ3人の女——フランス皇帝の大奥』川島ルミ子（以上、講談社）／『ローマ皇帝伝　下』スエトニウス、『年代記　下　ティベリウス帝からネロ帝へ』タキトゥス（以上、岩波書店〈岩波文庫〉）／『疫病の時代』酒井シヅ編、村上陽一郎ほか、『英国王室史話』森護（以上、大修館書店）／『コロンブスの不平等交換：作物・奴隷・疫病の世界史』山本紀夫（KADOKAWA）／『排出する都市パリ：泥・ごみ・汚臭と疫病の時代』アルフレッド・フランクラン（悠書館）／『ヴィクトリア女王の王室：側近と使用人が語る大英帝国の象徴の真実』ケイト・ハバード、『マリー・アントワネットの髪結い』ウィル・バショア（以上、原書房）／『リンカン　上・下』ドリス・カーンズ・グッドウィン（中央公論新社）／『不肖の息子：歴史に名を馳せた父たちの困惑』森下賢一（白水社）／『ベンサム』永井義雄（研究社）／『消えた屍体：死と消失と発見の物語』ジャンニ・デイヴィス（グラフィック社）／『歯痛の文化史：古代エジプトからハリウッドまで』ジェイムズ・ウィンブラント（朝日新聞出版）／『ボニー＆クライド』ジョン・トレハーン（中央アート出版社）／『マルコ・ポーロは本当に中国へ行ったのか』フランシス・ウッド（草思社）／『東方見聞録：［完訳］』マルコ・ポーロ（平凡社）／『ヴェネツィアの冒険家：マルコ・ポーロ伝』ヘンリー・H・ハート（新評論）／『ルソー』中里良二、『ベーコン』石井栄一（以上、清水書院〈センチュリーブックス〉）／『一八一二年の雪　モスクワからの敗走〈新版〉』両角良彦（朝日新聞社〈朝日選書〉）／『ドビュッシー』松橋麻利（音楽之友社）／『盗まれたエジプト文明　ナイル5000年の墓泥棒』篠田航一（文藝春秋）／『感情の歴史Ｉ　古代から啓蒙の時代まで』アラン・コルバン、ジャン＝ジャック・クルティーヌその他監修（藤原書店）／『死を招くファッション　服飾とテクノロジーの危険な関係』アリソン・マシューズ・デーヴィッド（化学同人）／『明智光秀と細川ガラシャ』井上章一、呉座勇一、フレデリック・クレインス、郭南燕著（筑摩書房〈筑摩選書〉）

外国語の参考文献についてはスペースの都合で省略しました。

本書は、本文庫のために書き下ろされたものです。

眠《ねむ》れなくなるほど怖《こわ》い世界史《せかいし》

著者　堀江宏樹（ほりえ・ひろき）
発行者　押鐘太陽
発行所　株式会社三笠書房
〒102-0072 東京都千代田区飯田橋3-3-1
電話　03-5226-5734（営業部）03-5226-5731（編集部）
https://www.mikasashobo.co.jp
印刷　誠宏印刷
製本　ナショナル製本

 ISBN978-4-8379-6961-7 C0130